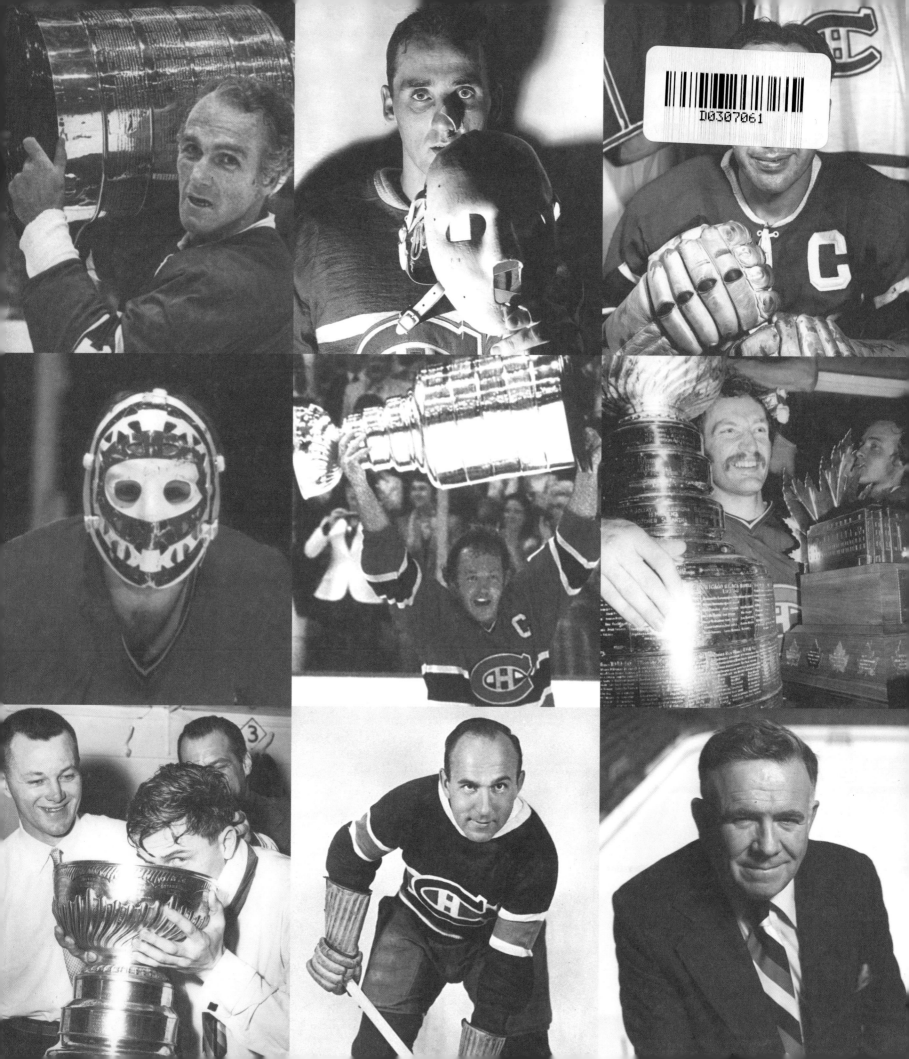

Les illustres Canadiens

LE TEMPLE de LA RENOMMÉE du HOCKEY

Fenn Publishing Company Ltd.

LES ILLUSTRES CANADIENS
Un livre Fenn Publishing / Édition originale en 2008 (Les illustres Canadiens)

Fenn Publishing Company Ltd.
Bolton, Ontario, Canada
www.hbfenn.com

L'éditeur reconnaît l'appui du Conseil des Arts du Canada et du Conseil des Arts de l'Ontario par l'entremise de leur programme d'édition et remercie le gouvernement de l'Ontario pour son appui via l'Initiative pour l'industrie du livre en Ontario de la Société de développement de l'industrie des médias de l'Ontario.

L'éditeur remercie aussi l'appui financier du gouvernement du Canada grâce au Programme d'aide au développement de l'industrie de l'édition (PADIE) pour ses activités d'édition. L'éditeur a veillé à mentionner le nom des détenteurs des droits d'auteurs touchant le matériel de cet ouvrage et à en obtenir la permission. L'éditeur recevra avec empressement tout renseignement qui lui permettra de rectifier toute erreur ou omission.

Mise en page : Laura Brunton
Imprimé et relié au Canada

Catalogage avant publication de Bibliothèque et Archives Canada

Podnieks, Andrew
   Les illustres Canadiens : le Temple de la renommée du hockey / Andrew Podnieks.

Traduction de: Honoured Canadiens.
ISBN 978-1-55168-352-2

   1. **Canadiens de Montréal (Équipe de hockey)--Biographies.** 2. **Joueurs de hockey--Québec (Province)--Montréal--Biographies.**
3. **Canadiens de Montréal (Équipe de hockey)--Histoire.** 4. **Temple de la renommée du hockey.** 5. **Canadiens de Montréal**
(Équipe de hockey)--Ouvrages illustrés. I. **Temple de la renommée du hockey** II. **Titre.**

GV848.M6P6214 2008   796.962092'271428   C2008-905576-4

Les illustres Canadiens

 LE TEMPLE *de* LA RENOMMÉE *du* HOCKEY

Fenn Publishing Company Ltd.
Bolton, Ontario

Table des matières

Préface

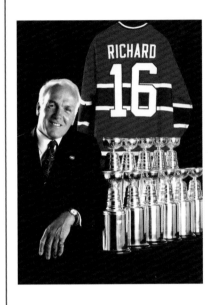

Comme tous ceux qui ont grandi à Montréal, j'ai rêvé de jouer avec les Canadiens. J'avais seulement six ans quand mon frère Maurice a percé l'alignement du club. Je n'ai jamais pensé un jour me retrouver à ses côtés, mais j'y suis arrivé. Quand il a réalisé que j'étais sur le point de me joindre à l'équipe, il a prolongé sa carrière et je serai toujours reconnaissant de sa décision. Je n'oublierai jamais ce premier camp d'entraînement ou ce premier match.

Revêtir ce fameux uniforme pour la première fois a quelque chose de magique. J'ai eu le privilège de remporter 11 coupes Stanley, mais rien ne se compare à la première. Je n'avais que 19 ans à ma première saison dans la LNH et de conclure cette première campagne aux côtés de mon frère avec la coupe dans les mains était tout simplement incroyable. Nous avons remporté la coupe les quatre années suivantes jusqu'à ce que Maurice se retire en 1960.

Je me souviendrai toujours de mon intronisation au Temple de la renommée du hockey en 1979. C'était spécial de me retrouver là avec Bobby Orr, considérant que tout le monde disait que je n'avais pas ce qu'il fallait pour jouer dans la LNH et que j'étais trop petit pour réussir, même si j'ai évolué 20 ans dans le circuit.

Le jeu a changé au fil des ans, mais ce qu'il faut pour devenir champion reste pareil. Gagner est une question de travail d'équipe. C'est là que tout a commencé pour les grandes équipes des Canadiens et je ne crois pas que cela a changé dans la LNH d'aujourd'hui. Sans ce lien qui unit les joueurs, il est peu probable que nous aurions connu autant de succès. Une équipe qui se tient gagne ensemble.

La pression de gagner qui existe à Montréal a toujours été présente, mais je ne l'ai jamais ressentie. Nous étions tellement confiants les uns envers les autres que rien d'autre ne comptait. Peu importe combien de grands joueurs évoluaient avec nous : Jean Béliveau , Maurice Richard, Dickie Moore, Jacques Plante et autres, personne n'était plus important que l'équipe. Nous avions un but, un objectif. Les Canadiens et son uniforme bleu, blanc et rouge sont tout ce que j'ai connu. Rien ne me rend plus fier que d'avoir fait partie d'une organisation si riche en histoire et je suis certain que les 53 autres hommes qui font l'objet de ce livre répondraient la même chose.

Henri Richard

Henri Richard
11 fois champion de la coupe Stanley

Introduction

Quand nous avons eu le grand privilège de devenir propriétaire des Canadiens de Montréal en janvier 2001, nous avons vu un de nos rêves se réaliser, soit d'être associé à l'une des plus grandes franchises de sport professionnel au monde. Seuls les Yankees de New York ont remporté autant de titres, mais aucune équipe n'a aligné autant de grands joueurs et bâtisseurs qui ont plus tard été intronisés au Temple de la renommée de leur sport.

Au début de notre association avec les Canadiens, les célébrations du Centenaire ne figuraient pas à l'ordre du jour. C'est vers la fin de 2004 que les plans ont pris forme, donnant lieu à une poussée de plusieurs années vers le 100e anniversaire de la fondation de notre club, le 4 décembre 1909. Nous pouvons vous affirmer que de faire partie de ces préparatifs a été une expérience unique.

Alors que nous avons honoré notre passé glorieux au cours des dernières années, nous avons eu le bonheur de rencontrer plusieurs des hommes qui ont contribué à l'établissement du riche héritage que nous saluons aujourd'hui. Henri Richard, le plus grand champion individuel de tout le sport professionnel, n'est qu'un de ceux-là et il continue à jouer un rôle vital à titre d'ambassadeur, véritable témoignage de combien extraordinaire est la famille des Canadiens. Sans son apport et celui de tous ses coéquipiers d'hier et d'aujourd'hui et l'appui infatigable de nos partisans, notre Centenaire ne serait rien de plus qu'une autre date au calendrier.

Les mots n'arrivent pas à exprimer la chance que nous avons d'être associés aux Canadiens de Montréal et par le fait même, aux personnes de qualité qui ont formé leur héritage. Les hommes honorés par ces pages sont des légendes qui ont réalisé un des plus importants accomplissements du sport, soit d'être immortalisés par leur intronisation au Temple de la renommée du hockey. Nous sommes incroyablement fiers qu'ensemble, ils aient joué un rôle clé dans le développement des 100 premières années de la grande histoire de notre équipe.

George N. Gillett, Jr.

George N. Gillett, Jr.
Propriétaire de l'équipe

Comprenant des chandails portés par des légendes comme Howie Morenz, Maurice Richard et Jean Béliveau, sans oublier Guy Lafleur, Bob Gainey et Patrick Roy, la Collection de hockey du Centenaire™, un assortiment d'articles rares des Canadiens appartenant à un collectionneur privé, donne un regard unique sur 100 ans d'histoire des Canadiens.

Howarth « Howie » Morenz

Centre 1923-1924 à 1936-1937

Morenz a gagné la coupe Stanley trois fois en 12 saisons avec les Canadiens et l'équipe a raté les séries éliminatoires une fois durant cette période.

Talentueux et populaire, Morenz a été nommé le meilleur joueur de hockey de la première moitié du 20e siècle.

Maîtrisant bien la rondelle et possédant un tir foudroyant, « Le Babe Ruth du hockey » était surtout réputé pour sa vitesse.

Quand Howie Morenz a été sacré meilleur joueur de hockey de la première moitié du 20e siècle en 1950, il était déjà mort depuis 13 ans. Sa vie est digne d'une légende et bien que les anciens joueurs ne s'accordaient pas sur tous les points, ils s'entendaient à dire que Morenz a été le meilleur de tous les temps.

Morenz avait plusieurs surnoms qui faisaient référence à sa grande vitesse, mais il était aussi un joueur dominant dans tous les aspects du jeu. Il possédait un tir foudroyant, il était un excellent passeur, le joueur le plus robuste sur la patinoire, il avait un cœur de lion et l'attitude d'un gentilhomme. Il a été la première vedette de hockey aux États-Unis, si bien que les journaux le surnommaient le « Babe Ruth du hockey ».

Bien sûr, Morenz a été l'étoile des Canadiens pendant 12 ans, mais la vérité était que plus jeune, il ne voulait rien savoir du hockey professionnel. Il a commencé à pratiquer le sport comme gardien, mais il a accordé 21 buts à son premier match et a rapidement été muté à une autre position par son entraîneur à Stratford. Rapidement, il fait preuve d'une habileté hors du commun à mettre la

CANADIENS EN CHIFFRES
HOWARTH « HOWIE » MORENZ
(« The Stratford Streak »)

n. Mitchell, Ontario, 21 juin 1902   **d.** Montréal, Québec, 8 mars 1937
5'9" 165 lbs centre lance de la gauche

	SAISON RÉGULIÈRE					SÉRIES ÉLIMINATOIRES				
	PJ	B	A	Pts	Pun	PJ	B	A	Pts	Pun
1923-1924 🏆	24	13	3	16	20	6	7	3	10	10
1924-1925	30	28	11	39	46	6	7	1	8	8
1925-1926	31	23	3	26	39	—	—	—	—	—
1926-1927	44	25	7	32	49	4	1	0	1	4
1927-1928	43	33	18	51	66	2	0	0	0	12
1928-1929	42	17	10	27	47	3	0	0	0	6
1929-1930 🏆	44	40	10	50	72	6	3	0	3	10
1930-1931 🏆	39	28	23	51	49	10	1	4	5	10
1931-1932	48	24	25	49	46	4	1	0	1	4
1932-1933	46	14	21	35	32	2	0	3	3	2
1933-1934	39	8	13	21	21	2	1	1	2	0
1936-1937	30	4	16	20	12	—	—	—	—	—
TOTAUX	460	257	160	417	499	45	21	12	33	66

Morenz est mort avant son temps et les Canadiens ont immédiatement retiré son numéro 7, qui n'a plus été porté par la suite.

Howarth « Howie » Morenz

Centre 1923-1924 à 1936-1937

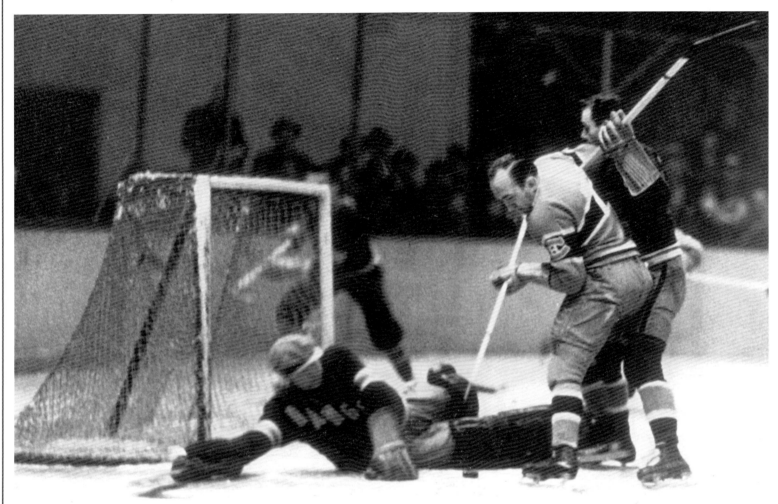

Morenz lutte pour une rondelle libre devant le filet des Rangers de New York.

rondelle dans le filet et il n'a pas fallu bien longtemps avant que les Canadiens apprennent qu'un joueur étoile évoluait à Stratford.

En 1917, Howie a tenté de s'engager dans l'armée. Sa mère l'a retrouvé au bureau de recrutement et elle a indiqué aux militaires que le jeune homme devant eux était âgé de 15 ans et non de 18 ans comme il le laissait entendre. Ils sont donc rentrés à Stratford et Howie a commencé à jouer de plus en plus au hockey.

C'est dans cette localité de l'Ontario que Cecil Hart s'est rendu pour voir Morenz et avec une offre de 400 $, il a embauché le jeune joueur pour la saison 1923-1924. Tout juste avant le début du camp d'entraînement, Morenz avait changé d'avis, il est rentré dans le bureau de Léo Dandurand, il lui a remis 400 $ sur la table et lui a demandé de déchirer le contrat. Dandurand a rassuré le joueur que tout se passerait bien et qu'en aucune circonstance ce contrat ne serait annulé. Morenz est resté à Montréal pour le début d'une brillante carrière.

Morenz jouait aux côtés d'Aurèle Joliat et de Billy Boucher à sa saison

recrue et l'équipe a remporté la coupe Stanley. L'année suivante, Morenz a marqué 28 buts en 30 matchs et a transporté l'équipe en finale où les Canadiens se sont inclinés face aux Cougars de Victoria.

Sa meilleure saison aura certainement été 1927-1928 quand il a mené la ligue avec 33 buts et 18 passes pour 51 points et qu'il a remporté le trophée Hart. En 1930-1931, il a dominé le circuit avec 51 points et a repris le trophée Hart, menant le Tricolore à une deuxième coupe Stanley de suite. Question de rendre cette saison encore plus mémorable, Morenz a marqué le but gagnant dans le match ultime des séries.

La saison précédente avait aussi été exceptionnelle alors qu'il a inscrit 40 buts en seulement 44 rencontres. Morenz était le joueur le plus palpitant et le plus dominant de la ligue pendant plusieurs saisons, mais il a commencé à ralentir au début des années 1930. Sa vitesse n'était plus la même et sa production offensive en a souffert. Les partisans qui l'avaient acclamé au Forum commençaient maintenant à le huer et il a été échangé à Chicago, le 3 octobre 1934, dans une transaction qui lui a déchiré le cœur.

Morenz a joué pendant deux saisons avec les Hawks, puis avec les Rangers, pâle reflet de son passé glorieux, puisqu'il n'avait pas de motivation à briller dans des villes où le hockey n'était pas apprécié avec le zèle religieux qu'on retrouvait à Montréal. Quand Cecil Hart est devenu directeur général des Canadiens en 1936, un de ses premiers gestes a été de ramener Morenz. Maintenant âgé de 34 ans, il a retrouvé sa passion pour le hockey et a rejoué comme le Morenz des beaux jours.

À mi-chemin dans la saison 1936-1937, une tragédie a frappé. Dans un match à domicile contre Chicago, Morenz a été mis en échec par Earl Siebert des Blackhawks. Morenz s'est affaissé et a durement donné contre la bande de bois. Son patin s'est coincé entre deux panneaux, si bien que sa jambe et sa cheville ont été fracturées à quatre endroits et il a été directement transporté à l'hôpital où les médecins ont rapidement constaté l'état de la situation.

Six semaines plus tard, Morenz était décédé. Il n'a jamais quitté l'hôpital et malgré les milliers de visiteurs, il savait que sa carrière avait pris fin le soir où on l'a sorti de la patinoire en civière. Les Canadiens ont organisé ses funérailles à l'intérieur même du Forum. Ses coéquipiers ont porté le cercueil et quelque 50 000 personnes lui ont rendu un dernier hommage, sans compter les 250 000 personnes alignées le long des rues de la ville. L'équipe a immédiatement annoncé que plus personne ne porterait le numéro 7 de Morenz avec les Canadiens.

Morenz a brièvement joué chez les Rangers et les Blackhawks, mais son étoile aura principalement brillé avec les Canadiens.

Howarth « Howie » Morenz

Centre 1923-1924 à 1936-1937

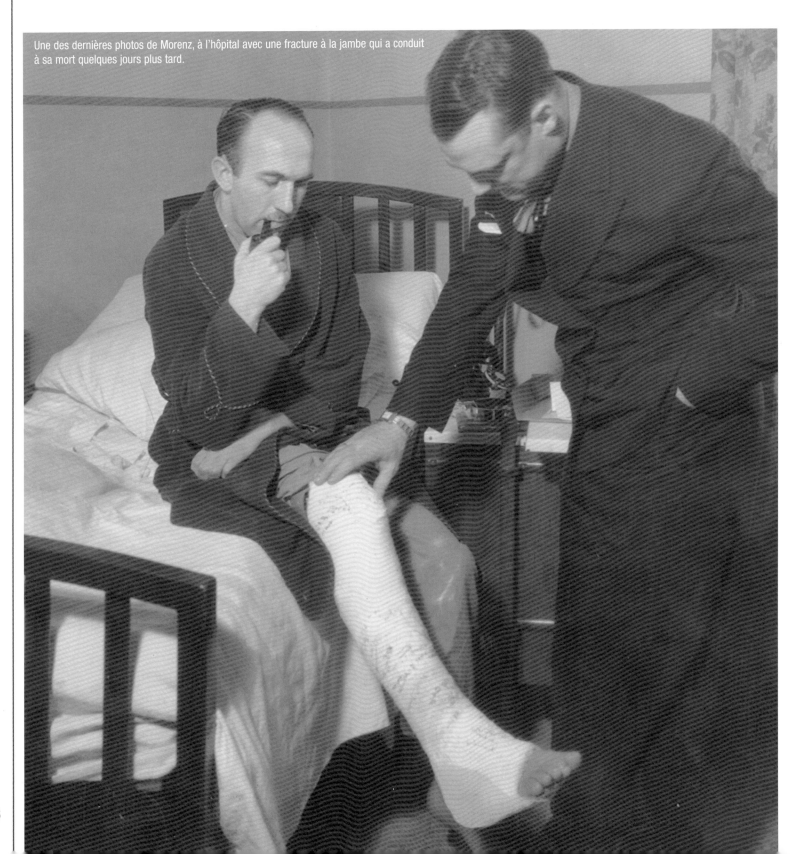

Une des dernières photos de Morenz, à l'hôpital avec une fracture à la jambe qui a conduit à sa mort quelques jours plus tard.

Morenz aura inscrit 271 buts et récolté 472 points en carrière, deux records de tous les temps à l'époque. Il incarnait à la fois un grand joueur de hockey et un grand homme. Il était plus grand que la vie aux yeux d'une légion de partisans, mais il vivait à la hauteur de sa réputation par son jeu. Dans l'ère moderne de la télévision, de l'Internet et de la photographie, il peut être facile d'oublier Morenz quand on le compare aux Howe, Orr et Gretzky, mais si les compliments d'adversaires comptent pour quelque chose, comme c'est le cas au hockey, le nom de Morenz figure bien parmi les grands noms du hockey moderne.

MORENZ MEMORIAL

ALL PROCEEDS
FOR FAMILY
OF LATE
BELOVED CANADIEN
HOCKEY
STAR

★

TOUTES LES RECETTES
IRONT
A LA FAMILLE
DU REGRETTE JOUEUR
ETOILE DU
CLUB DE HOCKEY CANADIEN

Howie Morenz

N.H.L. ALL-STARS vs CANADIENS · MAROONS
FORUM — MONTREAL — TUES. NOVEMBER 2nd, 1937
SOUVENIR PROGRAMME — TWENTY-FIVE CENTS

Un match pour honorer la mémoire du grand Howie Morenz a été disputé à Montréal peu après sa mort par des représentants de plusieurs équipes.

DÉPART D'UN CŒUR BRISÉ

Personne qui assistait au match du 28 janvier 1937 au Forum de Montréal ne pouvait anticiper qu'Howie Morenz était sur le point de disputer son dernier match. Personne qui a vu la terrible blessure qu'il avait subie ne pouvait savoir qu'il s'agissait même de sa dernière apparition publique à vie. Malgré tout, six semaines plus tard, la triste nouvelle a été accueillie avec désespoir, choc et incrédulité – Howie Morenz était mort. Il a été transporté à l'hôpital St-Luc après avoir subi une fracture à la jambe. Les médecins lui ont prescrit des sédatifs et lui ont posé un plâtre. Sa jambe allait être sauvée, mais Morenz était anéanti. Sa carrière venait subitement de prendre fin et il n'arrivait pas à y croire. Couché dans son lit d'hôpital, Morenz a été assiégé de visiteurs, si bien que le personnel de l'hôpital a dû limiter ces visites. Incapable de surmonter cette nouvelle, Morenz a été victime d'une dépression nerveuse et est décédé plusieurs jours plus tard d'une embolie coronarienne. Son ami et coéquipier de longue date, Aurèle Joliat a interprété les événements, non en terme médical, mais plutôt symbolique quand il a affirmé qu'en raison de l'importance de Morenz pour la ville, ce dernier était mort d'un cœur brisé.

Georges Vézina
Gardien 1910-1911 à 1925-1926

Vézina portait des gants identiques de chaque côté à une époque avant l'introduction du gant et du bloqueur de gardien.

Au tournant du 20e siècle, Chicoutimi était tellement loin de Montréal qu'on ne pouvait croire qu'il existait un lien entre cette ville du Saguenay et la capitale culturelle du Québec. Mais en 1910, à la fin de sa première saison professionnelle dans l'ANH, les Canadiens ont effectué une tournée pour permettre aux partisans des régions éloignées de se rapprocher de leur équipe.

Un jeune Vézina en 1915-1916, l'année où il a mené les Canadiens à leur première coupe Stanley.

Le gardien des Canadiens à l'époque était Joe Cattarinich et devant lui, une formation remplie d'étoiles, notamment « Newsy » Lalonde, Jack Laviolette et Didier Pitre. À Chicoutimi, l'équipe locale ne pouvait rivaliser avec les géants montréalais, mais le Tricolore n'a pu marquer contre le jeune gardien à l'autre bout de la patinoire. Quand George Kennedy a acheté les Canadiens, Cattarinich l'a pressé de mettre ce gardien sous contrat. C'est ainsi que Georges Vézina a fait son entrée avec le Tricolore.

Vézina a entrepris le premier match de la saison 1910-1911 à Montréal pour ensuite jouer tous les matchs du club au cours des 15 saisons suivantes. On l'a surnommé le «Concombre de Chicoutimi» en raison de son calme, mais il était surtout reconnu pour ses habiletés. À Chicoutimi, il n'a porté des patins qu'à l'âge de 18 ans, jouant les 10 années précédentes en bottes.

Cela s'est avéré une excellente méthode d'entraînement à une époque où les gardiens ne pouvaient tomber sur la glace. Il jouait à l'aréna de la ville, propriété de son père Jacques.

Il était un homme de classe qui ne fumait ou ne buvait pas jusqu'à l'excès comme la majorité de ses coéquipiers. Il était acclamé par les partisans à Montréal et respecté de ses rivaux dans la ligue. Durant sa vie, sa femme et lui ont donné naissance à un incroyable total de 24 enfants, mais plusieurs sont morts à un jeune âge.

Vézina a remporté deux fois la coupe Stanley avec les Canadiens, la première,

qui était aussi la première pour le club, en 1916 face aux Rosebuds de Portland. Trois ans plus tard, les Canadiens étaient de retour en finale. La série avait toutefois été annulée en raison d'une épidémie de grippe qui a causé la mort de Joe Hall et l'hospitalisation d'autres joueurs des Canadiens.

Vézina a mené l'équipe vers une deuxième conquête de

CANADIENS EN CHIFFRES
GEORGES VÉZINA (« Le concombre de Chicoutimi »)

n. Chicoutimi, Québec, 21 janvier 1887   d. Chicoutimi, Québec, 27 mars 1926
5'6"   185 lbs   gardien   attrape de la gauche

| | SAISON RÉGULIÈRE | | | | | | SÉRIES ÉLIMINATOIRES | | | | | |
	PJ	V-D-N	Mins	BC	BL	MOY	PJ	V-D-N	Mins	BC	BL	MOY
1910-1911	16	8-8-0	980	62	0	3,80	—	—	—	—	—	—
1911-1912	18	8-10-0	1109	66	0	3,57	—	—	—	—	—	—
1912-1913	20	11-9-0	1217	81	1	3,99	—	—	—	—	—	—
1913-1914	20	13-7-0	1222	64	1	3,14	2	1-1-0	120	6	1	3,00
1914-1915	20	6-14-0	1257	81	0	3,86	—	—	—	—	—	—
1915-1916 🏆	24	16-7-1	1482	76	0	3,08	5	3-2-0	300	13	0	2,60
1916-1917	20	10-10-0	1217	80	0	3,94	6	2-4-0	240	29	0	4,80
1917-1918	21	12-9-0	1282	84	1	3,93	2	1-1-0	120	10	0	5,00
1918-1919	18	10-8-0	1117	78	1	4,19	10	6-3-1	656	37	1	3,38
1919-1920	24	13-11-0	1456	113	0	4,66	—	—	—	—	—	—
1920-1921	24	13-11-0	1441	99	1	4,12	—	—	—	—	—	—
1921-1922	24	12-11-1	1469	94	0	3,84	—	—	—	—	—	—
1922-1923	24	13-9-2	1488	61	2	2,46	2	0-2-0	120	4	0	2,00
1923-1924 🏆	24	13-11-0	1459	48	3	1,97	6	6-0-0	360	6	2	1,00
1924-1925	30	17-11-2	1860	56	5	1,81	6	3-3-0	360	18	1	3,00
1925-1926	1	0-0-0	20	0	0	0,00	—	—	—	—	—	—
TOTAUX LNH	190	103-81-5	11 592	633	13	3,28	26	16-9-1	1 616	75	4	2,78

* 1909-1917=ANH

Georges Vézina

Gardien 1910-1911 à 1925-1926

Comme plusieurs gardiens de son temps, Vézina portait la casquette pour se garder au chaud dans les arénas où la température était gardée pour maintenir la patinoire gelée.

la coupe en 1924 et l'année suivante, les Canadiens ont perdu en finale contre les Cougars de Victoria. Vézina n'a jamais obtenu plusieurs jeux blancs, comme la majorité des gardiens de son époque, mais seulement deux fois dans sa carrière de 15 ans il a maintenu une fiche déficitaire. Il a mené la ligue pour la moyenne de buts accordés à cinq reprises et peu après son décès les dirigeants de la LNH ont créé le trophée Vézina, qui récompensait chaque année le gardien avec la meilleure moyenne.

C'est encore plus de la façon dont il a quitté le hockey qui a frappé l'imaginaire que ses performances sur la glace. Vézina est devenu extrêmement malade peu de temps avant l'ouverture de la saison 1925-1926, mais il n'en avait parlé à personne. Il disait être atteint d'une simple grippe. Le soir du 28 novembre 1925, à l'aréna Mont-Royal face aux Pirates de Pittsburgh, Vézina s'est effondré dans le vestiaire après la première période. À ce moment, les partisans n'avaient aucune idée qu'ils ne reverraient plus jamais Vézina devant le filet. C'est à ce moment que sa famille a découvert qu'il souffrait de la tuberculose.

Vézina est retourné à Chicoutimi et c'est à cet endroit qu'il a rendu l'âme quatre mois plus tard. Il était tellement malade qu'il n'a jamais eu la force de saluer ses coéquipiers à son dernier match, mais son souvenir vivait toujours. Il est mort en paix, et le trophée qui porte son nom demeure le plus important honneur qu'un gardien peut recevoir. Il ne symbolise pas uniquement un grand gardien, mais également un grand homme.

Vézina a porté ces patins durant presque toute sa carrière.

LE TROPHÉE VÉZINA

Le premier vainqueur du trophée Vézina fut Georges Hainsworth, successeur de Vézina chez les Canadiens. Il a remporté cet honneur en 1927 et les deux saisons suivantes. Après Hainsworth, Tiny Thompson des Bruins de Boston a décroché le titre quatre fois. Dans les années 1940, Bill Durnan des Canadiens l'a gagné six fois en sept ans entre 1943 et 1950. Jacques Plante a également réalisé l'exploit de mettre la main sur ce titre six fois en sept ans, entre 1955 et 1962. Ken Dryden l'a emporté cinq fois dans les années 1970. En 1981, la raison du trophée a changé radicalement. À l'époque, on le remettait simplement au gardien avec la meilleure moyenne, mais à partir de 1981 cet exploit était récompensé par le trophée Jennings. Le Vézina est alors devenu une sorte de récompense pour le gardien par excellence, le gagnant étant élu par les directeurs généraux de la LNH.

En l'honneur de Vézina, la LNH a commencé à remettre annuellement un trophée à son nom au gardien qui accordait le moins de buts au cours d'une saison.

Aurèle Joliat

Ailier gauche 1922-1923 à 1937-1938

Petit joueur au grand cœur et compétiteur hors pair, Joliat était l'exemple même d'un joueur des Canadiens dans les années 1920 et 1930.

La malchance a poussé Aurèle Joliat du football au hockey et le destin l'a fait passer de l'Ouest à l'Est. En fin de compte, le meilleur petit joueur de son époque a passé toute sa carrière dans la LNH à Montréal, où il a remporté trois coupes Stanley avec les Canadiens avant de se retirer comme le plus prolifique ailier gauche de l'histoire de la LNH.

Joliat a entrepris sa carrière au hockey avec les Flyers d'Iroquois Falls en 1920, un club amateur qui lui versait 200 $ par match. À l'époque des récoltes, il laissait tout tomber pour se rendre dans l'Ouest pour tra-

vailler dans les champs. C'est en Saskatchewan qu'il s'est retrouvé à jouer au football avec le Boat Club de Régina. Tôt dans sa carrière, il s'est fracturé la jambe droite à trois endroits, mettant fin à ses espoirs au football.

Son histoire a pris une autre tournure quand il a rencontré Bob Pinder, directeur des Sheiks de Saskatoon au hockey. Pinder a offert un contrat à Joliat. Pendant un entraînement toutefois, Joliat a été atteint par un tir à la jambe droite, ce qui l'a écarté du jeu pendant toute l'année.

Avant le début de la saison 1922-1923, le vent a tourné pour le mieux. Pinder avait entendu que les Canadiens voulaient se débarrasser de Newsy Lalonde. Le grand Lalonde n'était plus au sommet de sa forme et il ne s'entendait pas du tout avec son coéquipier Sprague Cleghorn. Pinder souhaitait aussi échanger Joliat, qui semblait être aux prises avec une jambe qui ne voulait pas guérir. Les équipes ont donc procédé à la transaction.

Les partisans des Canadiens n'arrivaient pas à comprendre comment le petit Joliat chausserait les patins du grand Lalonde, mais à sa première saison, il a marqué 12 buts en 24 matchs et s'est avéré un superbe manieur de rondelle. Plus jeune, il jouait toujours en défensive, mais il est passé sur l'aile gauche à Iroquois Falls. Jamais reconnu pour son tir, Aurèle Joliat pouvait déjouer n'importe quel gardien à courte distance. Il devait être rapide de ses mains puisqu'il n'arrivait jamais à intimider l'adversaire par sa taille. Joliat était surnommé l'« atome puissant » (Mighty Atom) en raison de sa capacité à se faufiler sur la glace.

À sa deuxième saison, Joliat s'est retrouvé aux côtés de Howie Morenz et de Billy Boucher. Ce trio a dominé la

CANADIENS EN CHIFFRES
AURÈLE JOLIAT

n. Ottawa, Ontario, 29 août 1901   **d.** Montréal, Québec, 2 juin 1986
5'5"   136 lbs   ailier gauche   lance de la gauche

| | SAISON RÉGULIÈRE | | | | | SÉRIES ÉLIMINATOIRES | | | | |
	PJ	B	A	Pts	Pun	PJ	B	A	Pts	Pun
1922-1923	24	12	9	21	37	2	1	0	1	11
1923-1924	24	15	5	20	27	6	4	2	6	6
1924-1925	25	30	11	41	85	5	3	0	3	21
1925-1926	35	17	9	26	52	—	—	—	—	—
1926-1927	43	14	4	18	79	4	1	0	1	10
1927-1928	44	28	11	39	105	2	0	0	0	4
1928-1929	44	12	5	17	59	3	1	1	2	10
1929-1930	42	19	12	31	40	6	0	2	2	6
1930-1931	43	13	22	35	73	10	0	4	4	12
1931-1932	48	15	24	39	46	4	2	0	2	4
1932-1933	48	18	21	39	53	2	2	1	3	2
1933-1934	48	22	15	37	27	3	0	1	1	0
1934-1935	48	17	12	29	18	2	1	0	1	0
1935-1936	48	15	8	23	16	—	—	—	—	—
1936-1937	47	17	15	32	30	5	0	3	3	2
1937-1938	44	6	7	13	24	—	—	—	—	—
TOTAUX	655	270	190	460	771	54	15	14	29	88

Aurèle Joliat
Ailier gauche 1922-1923 à 1937-1938

ligue et a transporté le Tricolore jusqu'à la coupe Stanley.

Joliat et Morenz sont demeurés au sein du même trio pendant 13 ans, menant les Canadiens à deux autres conquêtes de la coupe en 1930 et 1931. Joliat était un grand joueur, mais il jouait toujours dans l'ombre de Morenz, ce qui lui convenait parfaitement. Il considérait Morenz comme le plus grand joueur de tous les temps. Après la retraite de Boucher au début de 1927, le duo Joliat-Morenz s'est retrouvé avec Art Gagne et plus tard Nick Wasnie, puis Johnny Gagnon. En 1934, quand Morenz a été échangé à Chicago, Joliat a évolué avec Pit Lépine et Wildor Larochelle.

De 1933 à 1937, Joliat a été le meilleur marqueur de l'équipe. Il était reconnu pour sa casquette noire et les joueurs tentaient souvent de la faire tomber en passant à côté de lui. D'un côté, ces efforts fonctionnaient puisqu'il se mettait toujours en colère quand cela se produisait

(De gauche à droite) Le trophée présenté par les Canadiens à Joliat, le 8 février 1934, pour célébrer son 500e match dans la LNH; la fameuse casquette de Joliat; une carte de hockey d'époque

et il s'arrêtait pour la replacer, d'un autre côté il se mettait alors à jouer avec une fougue renouvelée faisant regretter à ses adversaires de l'avoir touché.

Au moment d'annoncer sa retraite en 1938, Joliat avait inscrit 270 buts, ce qui faisait de lui le meilleur pointeur de l'histoire chez les ailiers gauches. Il a remporté le trophée Hart en 1934 et a été nommé au sein de la première équipe d'étoiles en 1931 et de la deuxième équipe d'étoiles à trois autres occasions (1932, 1934 et 1935).

Autant son jeu était légendaire, son retour en 1981 était le glaçage sur

le gâteau. À 79 ans, Joliat portait l'équipement pour la première fois en 43 ans et il a été le fait saillant du match de bienfaisance auquel il a participé à Ottawa, patinant avec une aisance qui cachait bien son âge avancé. Il a même contribué à la cause de son équipe avec un but. Joliat avait parlé d'un retour, seulement pour un match amical, pour laisser savoir aux joueurs modernes qu'ils n'avaient pas le dessus sur des anciens qui jouaient 60 minutes par match pour quelques milliers de dollars. Le corps a peut-être pris de l'âge, mais l'esprit était toujours aussi vif.

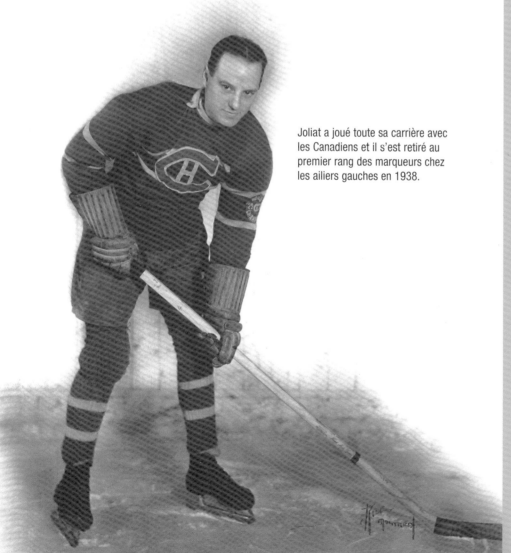

Joliat a joué toute sa carrière avec les Canadiens et il s'est retiré au premier rang des marqueurs chez les ailiers gauches en 1938.

RETOUR AU JEU À 79 ANS

Le 30 janvier 1981, les anciens d'Ottawa ont affronté une équipe d'anciens de la LNH dans un match de bienfaisance au Centre civique d'Ottawa. Les profits de l'activité ont été versés à la Société Parkinson. Aurèle Joliat deux livres en plus qu'à l'époque où il était joueur (135 lbs.) était bien heureux de clarifier pour la postérité qu'il mesurait 5'5" et non pas 5'7" comme la plupart des livres le rapportaient à l'époque. Parmi les autres joueurs présents, il y avait notamment Henri Richard, Phil Goyette et Claude Provost—ainsi que les arbitres honoraires Maurice Richard et Red Storey – mais ce fut Joliat, âgé de 79 ans qui a impressionné les 8 000 spectateurs grâce à son coup de patin fluide et son esprit compétitif qu'on n'attendrait pas d'un homme de cet âge. Joliat portait sa traditionnelle casquette et portait les mêmes patins que pour son dernier match avec les Canadiens en 1938!

William Northey
Bâtisseur

Northey était aux premières lignes du développement du hockey à Montréal, notamment en contribuant à la construction de l'Aréna de Westmount.

Longtemps considérée égale à la coupe Stanley, la Coupe Allan a été instituée sur la suggestion de Northey.

Il est presque impossible d'imaginer à quoi le hockey aurait ressemblé si William Northey n'avait pas joué un rôle aussi important dans son développement, surtout pendant la difficile transition du hockey amateur au hockey professionnel au début des années 1900.

Athlète d'exception dans plusieurs sports, Northey savait qu'il voulait passer sa vie dans le sport, mais il savait également qu'il pourrait offrir une plus grande contribution à l'extérieur des terrains de jeu. Il déménagea à Montréal en 1893, là où il a passé le reste de sa vie, façonnant le hockey dans cette ville et dans le reste du pays. Northey a été secrétaire-trésorier

du AAA de Montréal quand cette organisation a fait bâtir un amphithéâtre dédié au hockey. L'Aréna de Westmount a ouvert ses portes le 31 décembre 1898 et a introduit une nouvelle ère pour le hockey.

En 1900, Northey a suggéré que les matchs de hockey adoptent un système à trois périodes, laissant tomber le système à deux périodes emprunté au soccer. L'année suivante, il a proposé que les équipes alignent six joueurs au lieu de sept. L'idée n'a pas bien été reçue, mais Northey a convaincu les propriétaires d'équipes qu'un joueur de moins sur la glace se traduirait par un salaire de moins à verser.

En 1906, le hockey professionnel s'est intégré au hockey amateur. Northey a supervisé la réforme de l'ECAHA. Puis en 1914, il supervisa la création de l'Association canadienne de hockey amateur, organisme national de régie du hockey amateur au Canada, qui est aujourd'hui le plus important organisme national de hockey au monde.

En 1924, Northey a organisé la Canadian Arena Company et il cherchait

à construire un nouveau domicile de 12 500 places pour les Canadiens. Il n'a pas convaincu les bailleurs de fonds du besoin d'une telle capacité et il a donc dû se contenter d'un bâtiment à 9 700 sièges qu'on a baptisé le Forum. Ce lieu a accueilli du hockey professionnel pendant 70 ans et a été le théâtre de plus de victoires de la coupe Stanley que tout autre lieu dans l'histoire du hockey.

WILLIAM NORTHEY

n. Leeds, Québec, 29 avril 1872
d. Montréal, Québec, 9 avril 1963

LA COUPE ALLAN

En 1908, le hockey amateur au Canada était dans un mauvais état. La plupart des équipes sérieuses se joignaient aux circuits professionnels, sentant le besoin d'attirer les vedettes pour survivre et le seul moyen de le faire était de verser des salaires. Les équipes dans l'ECAHA ont contacté Northey pour qu'il réorganise la ligue et il s'est tourné vers Sir Montagu Allan pour qu'il offre un trophée réservé au hockey amateur, puisque la coupe Stanley était remportée par des clubs professionnels. Allan a donné son accord à la seule condition que Northey supervise chaque aspect, et le résultat a été une structure plus unie avec un seul objectif – gagner la coupe Allan. Ce nouveau trophée est resté aussi important que la coupe Stanley pendant des décennies. De nos jours, même si elle n'est pas dans la même classe, des ligues amateurs partout au Canada continuent à se la disputer.

L'influence et l'importance de Northey ont entraîné de nombreuses invitations, notamment celle du CIO à un souper d'état à Londres.

Édouard « Newsy » Lalonde
Centre 1909-1910 à 1921-1922

Un des meilleurs marqueurs de son époque, Newsy Lalonde a connu huit saisons avec au moins 20 buts alors que le calendrier régulier ne dépassait pas 24 matchs.

Lalonde a entrepris la pratique du hockey au début des années 1900 quand les ligues professionnelles commençaient à remplacer les circuits amateurs. Avant 1909, quand les Canadiens ont été fondés et que Lalonde joue à Montréal, il était une étoile qui acceptait des offres de partout au pays.

En 1909-1910, « Newsy » jouait un double rôle. Membre des Canadiens, il a mené l'ANH avec 16 buts en six matchs dans la première saison de cette ligue. Les Canadiens ne se sont toutefois pas qualifiés pour les séries éliminatoires, alors Lalonde a accepté une offre du club de Renfrew après la saison régulière pour aider l'équipe en séries. Le 17 mars 1910, Lalonde a marqué neuf buts dans un match contre Cobalt, une réalisation hors de

Reconnu pour sa casquette à visière qu'il portait peu importe où il jouait, Newsy Lalonde était une des grandes étoiles des années qui ont mené à la création de la LNH et au-delà. Même s'il était le joueur le mieux rémunéré au hockey et à la crosse et qu'il passait d'une équipe à l'autre sans trop de loyauté apparente, il s'est épris pour Montréal et a disputé la majeure partie de sa carrière avec les Canadiens. Il a plus tard dirigé l'équipe et il est demeuré un fidèle visiteur au Forum pendant des décennies jusqu'à sa mort.

CANADIENS EN CHIFFRES
EDOUARD « Newsy » LALONDE

n. Cornwall, Ontario, 31 octobre 1888   **d.** Montréal, Québec, 21 novembre 1971
5'9"   168 lbs   centre   lance de la droite

	SAISON RÉGULIÈRE					SÉRIES ÉLIMINATOIRES				
	PJ	B	A	Pts	Pun	PJ	B	A	Pts	Pun
1909-1910	6	16	—	16	40	—	—	—	—	—
1910-1911	16	19	—	19	63	—	—	—	—	—
1912-1913	18	25	—	25	61	—	—	—	—	—
1913-1914	14	22	5	27	23	2	0	0	0	2
1914-1915	7	4	3	7	17	—	—	—	—	—
1915-1916	24	28	6	34	78	4	3	0	3	41
1916-1917	18	28	7	35	61	5	2	0	2	47
1917-1918	14	23	7	30	51	2	4	2	6	17
1918-1919	17	22	10	32	40	10	17	22	39	9
1919-1920	23	37	9	46	34	—	—	—	—	—
1920-1921	24	33	10	43	36	—	—	—	—	—
1921-1922	20	9	5	14	20	—	—	—	—	—
TOTAUX LNH	99	124	41	165	181	12	21	24	45	26

* 1909-1917=ANH

l'ordinaire. En 1911-1912, les frères Patrick l'ont fait venir avec les Millionaires de Vancouver et « Newsy » a de nouveau dominé le circuit avec 27 buts en seulement 15 matchs.

C'est toutefois avec les Canadiens qu'il a connu son véritable apogée à l'Aréna de Westmount, toujours rempli à craquer quand Lalonde jouait. Sa façon de marquer était un spectacle en soi. Il est revenu avec les Canadiens en 1912 et il a inscrit 47 buts en 32 matchs au cours des deux saisons qui suivirent. Il a raté la plus grande partie de la saison 1914-1915 en raison d'une blessure, mais il est revenu en force en 1915-1916 avec une production de 28 buts, un sommet dans l'ANH. Lalonde a ensuite aidé le Tricolore à vaincre les Rosebuds de Portland dans le dernier match de la série finale de la coupe Stanley.

Ce fut là le seul championnat remporté par Lalonde, mais l'année suivante, la dernière de l'ANH, il a ajouté 28 buts en 18 matchs. Il est demeuré avec les Canadiens à leur entrée dans la nouvelle LNH fondée en décembre 1917 et il a inscrit 23 buts en 14 matchs. Ses deux meilleures saisons ont possiblement été les campagnes de 1919-1920 et 1920-1921. La LNH s'était alors établie comme le circuit professionnel le plus important au pays et Lalonde en était toujours le meilleur marqueur. Il a inscrit 70 buts en 47 matchs au cours de ces deux saisons, pour se hisser en tête.

Lalonde a été le meilleur pointeur de la LNH à deux occasions et meilleur buteur une fois, il a aussi fait partie de l'équipe de 1919 qui a pris part à la finale à Seattle, série annulée en raison de la pandémie de grippe et du décès de son coéquipier Joe Hall.

« Newsy » a été échangé aux Sheiks de Saskatoon avant la saison 1922-1923, ce qui a d'abord rendu le joueur furieux. Lalonde était bien établi à Montréal et ne désirait pas déménager, mais les Canadiens avaient l'occasion d'acquérir le jeune Aurèle Joliat et ils ne la rateraient pas. Le propriétaire Léo Dandurand s'est quand même assuré que Lalonde reçoive le même salaire au cours des deux saisons suivantes, ce qui a facilité le départ du joueur.

Après avoir annoncé sa retraite en 1927, Lalonde est devenu entraîneur et il est revenu à Montréal à ce titre en 1932. Il est resté en poste deux ans et demi, mais l'équipe n'avait pas de succès en séries éliminatoires et il a été remplacé par Dandurand à mi-chemin dans la saison 1934-1935.

Il est difficile à saisir aujourd'hui que Lalonde était encore plus connu à la crosse qu'au hockey et il était mieux payé à pratiquer ce sport. Il a disputé quelque 20 saisons professionnelles et en 1950 il a été nommé le plus grand joueur de crosse au pays pour la première moitié du siècle. Il affirmait aussi préférer ce sport parce qu'il était pratiqué l'été à l'extérieur.

RÉINVESTISSEMENT FAMILIAL

Édouard Lalonde a hérité du surnom de « Newsy » parce qu'il travaillait au Cornwall Freeholder, le journal local de son enfance. Il vivait avec ses parents à quelques portes des bureaux du journal et son père avait une entreprise de vrillage à la maison. Plus tard, Lalonde est devenu l'athlète le mieux rémunéré au hockey et à la crosse et il était reconnu pour accepter l'offre la plus lucrative dans plusieurs cas. Ce que plusieurs ne savaient pas c'est que Lalonde a utilisé sa première somme importante d'argent pour acheter la bâtisse où ses parents habitaient et travaillaient et l'a donné à sa mère pour qu'elle ait un lieu où habiter pour le restant de ses jours.

Joe Malone

Colosse et gentleman, Joe Malone était difficilement mis en échec.

Dans une ère de bâtons élevés, de bagarres violentes et d'intimidation quasi inhumaine, Joe Malone a été un géant du sport sur glace. On le surnommait « Le fantôme » car personne ne savait où il se trouvait jusqu'à ce qu'il prenne possession de la rondelle. Il arrivait souvent que cette rondelle soit au fond du filet peu de temps après.

Malone a été un buteur hors pair. Malgré sa grande taille, il patinait tout droit et avec force, et c'est possiblement cette qualité qui lui a valu le respect des brutes du circuit. En possession de la rondelle, il était certainement le meilleur manieur de bâton; sans être le plus rapide, il savait être trompeur. Plus important encore, quand il décidait de tirer, il prenait son temps, visait délibérément et marquait dans la plupart des cas. Il était spécialiste à feindre ses tirs pour attirer le gardien hors du filet.

En 1908, Malone s'est joint à l'équipe de sa ville natale, les Bulldogs de Québec, avec qui il a joué neuf saisons et s'est élevé au rang de meilleur buteur du circuit. Les Bulldogs ont gagné la coupe Stanley en 1912 et 1913 et Malone a marqué cinq des 17 buts de l'équipe pour vaincre Moncton pour la première conquête du titre. L'année suivante, il a ajouté neuf buts dans un seul match de la finale face aux Miners de Sydney. Au cours de la campagne 1912-1913, Malone a inscrit 43 buts en seulement 20 matchs.

CANADIENS EN CHIFFRES
JOE MALONE

n. Québec, Québec, 28 février 1890   **d.** . Montréal, Québec, 15 mai 1969
5'10"   150 lbs   attaquant   lance de la gauche

| | SAISON RÉGULIÈRE | | | | | SÉRIES ÉLIMINATOIRES | | | | |
	PJ	B	A	Pts	Pun	PJ	B	A	Pts	Pun
1917-1918	20	44	—	44	30	2	1	0	1	3
1918-1919	8	7	2	9	3	5	5	0	5	0
1922-1923	20	1	0	1	2	2	0	0	0	0
1923-1924	10	0	0	0	0	—	—	—	—	—
TOTAUX	58	52	2	54	35	9	6	0	6	3

Malone a conclu sa carrière avec les Canadiens en 1923-1924 en remportant la coupe Stanley.

aussi évolué à une époque où il était interdit aux gardiens de tomber sur la glace. Pourtant, personne n'a marqué à un taux comparable au sien, ce pour quoi ses exploits sont formidables.

Malone a joué la saison suivante avec les Canadiens, mais une entorse à la cheville lui a fait rater la plus grande partie de la saison. Ensuite, il a rejoint les Bulldogs de Québec à leur entrée dans la LNH, avec qui il a marqué 39 buts en 24 matchs. Entre l920 et 1922, Malone a joué avec les Tigers de Hamilton qui avaient acquis plusieurs Bulldogs dans une vente de feu. Malone est plus tard devenu entraîneur et directeur et il termina sa carrière à Montréal en ne disputant que quelques matchs sur deux saisons avant de se retirer pour de bon.

UN DERNIER TOUR DE PISTE

Joe Malone est revenu chez les Canadiens en 1922 après être avoir été échangé par Hamilton. Le grand marqueur d'autrefois avait perdu son feu, et travaillait presque à temps complet comme fabricant d'outils, ce pour quoi il a été exonéré du service militaire dans la Première Guerre mondiale. L'année suivante, il a contracté une maladie de gorge et s'est retrouvé face à un ennemi formidable – la jeunesse. Howie Morenz entreprenait sa carrière avec les Canadiens et Malone s'est rendu compte que Morenz représentait l'avenir. Malone a pris sa retraite à la mi-saison et son chandail numéro 9 a été laissé sur le crochet, destiné à être réclamé 20 ans plus tard par Maurice Richard.

À la fondation de la LNH en 1917, les Bulldogs ont suspendu leurs activités et Malone a été réclamé par les Canadiens de Montréal. Il était obligé d'évoluer sur l'aile gauche puisque « Newsy » Lalonde jouait au centre. L'adaptation a été instantanée. À sa première année, Malone a établi de nouveaux records. Il a marqué 44 buts en seulement 20 matchs. Tout au long de sa carrière, il a joué dans un respect de l'esprit sportif qui lui a valu l'appréciation des partisans.

La saison de 1917-1918 est difficile à quantifier et à comparer au hockey d'aujourd'hui. Malone jouait régulièrement presque 60 minutes par match et le style de jeu s'apparentait plutôt au soccer qu'au hockey de l'ère moderne. Les joueurs donnaient un grand coup à des moments particuliers, puis se laissaient glisser sur la patinoire pour récupérer. De nos jours, les changements de trios garantissent la présence de jambes fraîches en tout temps et les joueurs récupèrent sur le banc. Malone a

Sprague Cleghorn

Défenseur 1921-1922 à 1924-1925

Avant de s'amener à Montréal, Cleghorn a évolué avec Cyclone Taylor à Renfrew.

Comme Red Horner ou Eddie Shore une génération plus tard, Sprague Cleghorn avait deux visages sur la patinoire. D'un côté, un défenseur offensif brillant, de l'autre un joueur sans borne quand la moutarde lui montait au nez. Cleghorn était le plus robuste des robustes, mais aussi le plus talentueux.

Cleghorn a remporté la coupe Stanley à trois reprises, d'abord avec les Sénateurs d'Ottawa en 1920 et 1921, puis une troisième avec les Canadiens en 1924. Il aura joué quatre saisons complètes avec le Tricolore au sommet de sa carrière.

Nés à Montréal, Sprague Cleghorn et son frère Odie ont porté l'uniforme des Wanderers de Montréal dans la défunte ANH. Quand la ligue a été dissoute en 1917 avant de devenir la LNH, le domicile des Wanderers a été détruit par un incendie et Sprague s'est retrouvé avec les Sénateurs, tandis qu'Odie s'est joint aux Canadiens. Ce n'est qu'en 1921 que les deux frères ont été réunis avec les Canadiens et ils ont formé un duo à la fois redoutable et redouté.

En 1910, Sprague a fait la transition de l'attaque à la défensive tandis qu'il évoluait aux côtés du grand Cyclone Taylor chez les Millionaires de

CANADIENS EN CHIFFRES
SPRAGUE CLEGHORN

n. Montréal, Québec, 11 mars 1890   **d.** Montréal, Québec, 11 juillet 1956
5'10"   190 lbs   défenseur   lance de la gauche

	SAISON RÉGULIÈRE					SÉRIES ÉLIMINATOIRES				
	PJ	B	A	Pts	Pun	PJ	B	A	Pts	Pun
1921-1922	24	17	9	26	80	—	—	—	—	—
1922-1923	24	9	8	17	34	1	0	0	0	7
1923-1924 🏆	23	8	4	12	45	6	2	2	4	2
1924-1925	27	8	10	18	89	6	1	2	3	4
TOTAUX	98	42	31	73	248	13	3	4	7	13

Renfrew. Quand Cleghorn a annoncé sa retraite en 1928, seul Harry Cameron avait marqué plus de buts de la ligne bleue. Le 27 décembre 1913, Sprague a d'ailleurs marqué cinq buts dans un match avec les Wanderers.

Sa carrière a été remise en question quand il a raté toute la saison 1917-1918 en raison d'une grave fracture à la jambe. Entièrement rétabli en 1921-1922, sa première saison avec Montréal, il a accumulé 17 buts en 24 matchs de saison régulière, véritable fait d'arme pour un défenseur et il a aussi reçu 80 minutes de punition, un sommet dans le circuit. Cleghorn était capitaine quand le Tricolore a remporté la coupe en 1924, mené par Georges Vézina, Howie Morenz et Aurèle Joliat.

La saison suivante, l'équipe est retournée en série finale de la coupe Stanley, mais s'est inclinée face aux Cougars de Victoria. Quelques semaines plus tard, le contrat de Cleghorn a été vendu aux Bruins de Boston. Il a annoncé sa retraite trois ans plus tard pour entreprendre une carrière d'entraîneur.

Sprague était plus efficace aux côtés de son frère Odie. Le lien était si fort entre les deux qu'ils ont disparu à quelques jours d'intervalle.

Un des nombreux joueurs de la ligue à combiner talent et robustesse, Cleghorn dominait ces deux aspects du jeu.

FRÈRE UN JOUR, FRÈRE TOUJOURS

Sprague Cleghorn n'était âgé que de 66 ans quand il est décédé des suites de complications après avoir été happé par une voiture tandis qu'il marchait pour se rendre au travail. Les événements ont terrassé son frère Odie. Les deux avaient joué ensemble durant la plus grande partie de leur vie et ils avaient toujours vécu ensemble ou près l'un de l'autre. Odie en a été tellement bouleversé que le matin des funérailles de Sprague, il ne s'est jamais réveillé. Il a été découvert dans son lit par leur sœur avec qui Odie résidait et il a eu droit à des funérailles, trois jours après celles de Sprague.

Herb Gardiner

Défenseur 1926-1927 à 1928-1929

Les Canadiens de Montréal ont été doublement récompensés au printemps de 1924. D'abord, ils ont vaincu les Tigers de Calgary 6 à 1 et 3 à 0 pour remporter la coupe Stanley. Ensuite, ils ont été tellement impressionnés par le défenseur Herb Gardiner des Tigers qu'ils lui ont plus tard soumis un contrat.

Le parcours de Gardiner est irrésistible, voire extraordinaire. Il a débuté en 1908 quand il jouait dans les rangs seniors avec les Victorias de Winnipeg. L'année suivante il évoluait dans une ligue locale de banquiers, très loin des circuits professionnels. Au cours des neuf années suivantes, Gardiner n'était pratiquement plus impliqué au hockey.

Gardiner n'a pas fait son entrée dans la LNH avant 1926 à l'âge de 35 ans, preuve de son talent durable.

L'importance grandissante de Gardiner était d'autant plus remarquable puisqu'il n'a pas joué au hockey pendant neuf ans durant sa jeunesse.

INTRONISÉ EN 1958

De 1910 à 1914, il travaillait comme vérificateur pour le Canadien Pacifique et il partit ensuite pour la guerre. Il servit en France et en Belgique, s'élevant au rang de lieutenant, mais a été retourné au pays en 1918 après avoir subi une blessure. Gardiner a poursuivi sa contribution à l'effort de guerre avec le régiment Lord Strathcona's Horse jusqu'à la fin du conflit. C'est alors qu'il a recommencé à jouer au hockey.

À Calgary sept ans, d'abord avec les Wanderers puis avec les Tigers, Gardiner a atteint ses plus hauts sommets à son arrivée avec les Canadiens en 1926 à l'âge de 35 ans. Comme « recrue » dans la LNH, Gardiner a remporté le trophée Hart comme joueur le plus utile du circuit. Les Canadiens se sont inclinés en demi-finale contre Ottawa, mettant ainsi fin aux espoirs de coupe de Gardiner. L'année suivante il a été aussi sensationnel tandis que le Tricolore n'a subi que 11 revers en 44 rencontres. Par contre, les Maroons ont barré la route à leurs rivaux montréalais en séries éliminatoires.

En 1928-1929, les Canadiens ont prêté le contrat de Gardiner à Chicago, mais ils l'ont rappelé vers la fin du calendrier pour les aider en séries. Malheureusement, les Bruins ont balayé les Canadiens en trois matchs et le contrat de Gardiner a été vendu à Boston, peu de temps après.

Après avoir accroché ses patins, Gardiner est devenu entraîneur et dirigeant à Philadelphie, dans la Ligue Can-Am.

UN ENTRAÎNEUR EN DEVENIR

Même si les Bruins de Boston ont acquis les services de Gardiner, on ne l'a jamais vu dans l'uniforme jaune et noir. Ses droits ont plutôt été vendus aux Arrows de Philadelphie de la ligue Can-Am. Gardiner s'est amené en Pennsylvanie où il a été entraîneur pendant sept ans, bien qu'il a disputé quelques matchs en situation d'urgence. Herb Gardiner est décédé à Philadelphie en 1972 des suites d'une longue maladie.

CANADIENS EN CHIFFRES
HERB GARDINER

n. Winnipeg, Manitoba, 8 mai 1891   **d.** Philadelphie, Pennsylvanie, 11 janvier 1972
5'10"   190 lbs   défenseur   lance de la gauche

	SAISON RÉGULIÈRE					SÉRIES ÉLIMINATOIRES				
	PJ	B	A	Pts	Pun	PJ	B	A	Pts	Pun
1926-1927	44	6	6	12	26	4	0	0	0	10
1927-1928	44	4	3	7	26	2	0	1	1	4
1928-1929	7	0	0	0	0	3	0	0	0	2
TOTAUX	95	10	9	19	52	9	0	1	1	16

Donat Raymond
Bâtisseur

Donat Raymond était un fondateur de la Canadian Arena Company, élément moteur derrière la construction de l'aréna qui deviendra le Forum.

La relation entre Donat Raymond et les Canadiens a débuté bien avant que l'un ou l'autre puisse le réaliser. Raymond était fervent de hockey et possédait une loge à l'Aréna de Westmount, où l'équipe évoluait dans l'ANH, avant d'être plus tard rejoints par les Wanderers de Montréal, dans la LNH.

Après qu'un incendie eut détruit l'aréna, Montréal s'est retrouvé sans amphithéâtre et Raymond a tenté de stimuler la croissance du sport en offrant à la ville un haut lieu dont elle serait fière. Raymond a contribué à la création de la Canadian Arena Company en 1923 dont il est devenu président. Il a ensuite travaillé à amasser les fonds pour un aréna de 9 700 places. Le 29 novembre 1924, son rêve est devenu réalité avec l'ouverture du Forum.

Même si le Forum était l'amphithéâtre de hockey le plus moderne au monde, Raymond ne pouvait pas s'asseoir sur ses lauriers. Les deux équipes qui y évoluaient, les Canadiens et les Maroons, étaient loin d'offrir un spectacle à la hauteur du bâtiment. Les années 1930 ont été marquées par de faibles assistances, à l'exception des affrontements entre les deux clubs qui faisaient salle comble. Les Maroons n'ont toutefois pas survécu. Raymond a tenté de maintenir le navire à flot.

L'histoire des Canadiens a été transformée quand Dick Irvin a quitté Toronto pour diriger le Tricolore. C'est à ce moment que le club a commencé à connaître du succès et Raymond a pu profiter de fréquentes conquêtes de la coupe Stanley. Il est demeuré président jusqu'en 1957 quand le club a été acheté par le Sénateur Hartland Molson.

Raymond était un partisan de l'équipe dans les années difficiles et les gradins se sont graduellement remplis pour les matchs des Canadiens grâce à sa persévérance et sa loyauté au club.

DONAT RAYMOND

n. St-Stanislas-de-Kostka, Québec, 3 janvier 1880
d. Montréal, Québec, 5 juin 1963

PLUS QUE DU HOCKEY

Donat Raymond a d'abord fait sa marque au Québec dans l'hôtellerie et son succès en affaires lui a permis d'influer sur les cercles financiers de la ville. Il a été élu sénateur le 20 décembre 1926. Raymond était aussi un éleveur hors pair. Ses chevaux ont remporté trois King's Plates (Irish Heart en 1914, King Wave en 1923 et Span en 1930).

Sylvio Mantha

Défenseur 1923-1924 à 1935-1936

Mantha a remporté sa première coupe Stanley comme recrue en 1923-1924 et deux autres fois par la suite.

Quand Mantha est devenu capitaine en 1926, il n'avait que 24 ans, un des plus jeunes de l'histoire à occuper ce poste.

Bien qu'il a été défenseur tout au long de sa carrière dans la LNH, Sylvio Mantha avait été attaquant plus tôt, et par conséquent, il était un excellent défenseur offensif quand il est arrivé chez les Canadiens de Montréal en 1923. Non seulement est-il devenu une vedette instantanée avec l'équipe, il se joignait à un club qui comptait sur Howie Morenz, Aurèle Joliat, Georges Vézina et le capitaine Sprague Cleghorn. La saison recrue de Mantha a pris fin le soir du 25 mars 1924 quand les Canadiens ont battu les Tigers de Calgary 3 à 0 pour remporter la coupe Stanley. Il n'aurait pas pu mieux choisir son moment.

L'année suivante, Mantha contribua encore à mener l'équipe jusqu'à la finale de la coupe Stanley, mais cette fois-ci l'équipe a raté son rendez-vous avec les Cougars de Victoria en quatre matchs disputés à Vancouver. Plusieurs années se sont écoulées avant de revoir le Tricolore remporter la coupe, mais l'équipe terminait quand même régulièrement au premier rang de la division canadienne. C'était à l'époque où les dix clubs de la LNH étaient divisés dans des divisions américaine et canadienne, celle-ci composée des deux clubs de Montréal – Canadiens et Maroons –, Toronto, Ottawa et les Americans de New York. La division américaine était composée de Boston, Détroit, Chicago, des Rangers de New York, des Pirates de Pittsburgh ou des Quakers de Philadelphie.

Âgé de 24 ans seulement, Mantha devient capitaine de l'équipe en 1926, une responsabilité qu'il a acceptée avec fierté jusqu'en 1935 quand il a été nommé joueur-entraîneur (sauf en 1932-33, quand le gardien de but George Hainsworth a été capitaine). Mantha a mené l'équipe à des conquêtes consécutives de la coupe Stanley, battant Boston en 1930, puis Chicago en 1931. En 1930, Mantha a inscrit un but dans chacun des matchs de la finale. Il a aussi été celui qui a marqué le premier but de l'histoire du nouveau Garden de Boston, le 20 novembre 1928, dans un match remporté 1 à 0 par les Canadiens.

CANADIENS EN CHIFFRES
SYLVIO MANTHA

n. Montréal, Québec, 14 avril 1902 | **d.** Montréal, Québec, 7 août 1974
5'10" | 178 lbs | défenseur | lance de la droite

| | SAISON RÉGULIÈRE | | | | | SÉRIES ÉLIMINATOIRES | | | | |
	PJ	B	A	Pts	Pun	PJ	B	A	Pts	Pun
1923-1924	24	1	3	4	11	2	0	0	0	0
1924-1925	30	2	3	5	18	6	0	1	1	2
1925-1926	34	2	1	3	66	—	—	—	—	—
1926-1927	43	10	5	15	77	4	1	0	1	0
1927-1928	43	4	11	15	61	2	0	0	0	6
1928-1929	44	9	4	13	56	3	0	0	0	0
1929-1930	44	13	11	24	108	6	2	1	3	18
1930-1931	44	4	7	11	75	10	2	1	3	26
1931-1932	47	5	5	10	62	4	0	1	1	8
1932-1933	48	4	7	11	50	2	0	1	1	2
1933-1934	48	4	6	10	24	2	0	0	0	2
1934-1935	47	3	11	14	36	2	0	0	0	2
1935-1936	42	2	4	6	25	—	—	—	—	—
TOTAUX	538	63	78	141	669	43	5	5	10	66

UN VRAI MONTRÉALAIS

Sylvio Mantha a passé presque toute sa vie à Montréal. Il a grandi dans une maison près de la Côte-St-Paul et de la rue Ste-Clotilde et il jouait avec les Juniors de Notre-Dame-de-Grâce en 1918-1919. Il s'est ensuite rendu à Verdun et passa deux ans à développer la Ligue des producteurs de l'Imperial Tobacco. En 1922, Mantha s'est joint à la Ligue Northern Electric et il a joué avec le National, une équipe senior de Montréal. C'est là qu'il a été découvert par Léo Dandurand, qui l'a inséré dans l'alignement des Canadiens. Plusieurs années plus tard, le frère de Sylvio, Georges, signa aussi un contrat avec l'équipe et y a passé toute sa carrière de 13 ans. Plus tard, Sylvio a aussi joué également les rôles d'arbitre et d'entraîneur à Montréal et dans les environs pour un bon nombre d'années.

Frank Selke
Bâtisseur

Le directeur général Frank Selke (complètement à droite) était toujours le premier à féliciter ses joueurs pour leurs prouesses.

Dès sa rentrée comme directeur général des Canadiens de Montréal en 1946 jusqu'à sa retraite en 1964, Frank Selke a ressuscité un club en détresse, il l'a transformé en une des plus grandes dynasties de l'histoire, puis il en a orchestré une deuxième. On le considère aujourd'hui comme l'un des hommes les plus influents de l'histoire des Canadiens.

En 1946, Frank Selke a quitté Toronto pour Montréal, où le chiffre des assistances était en chute libre. Les Canadiens comptaient quand même dans ses rangs un bon noyau de jeunes joueurs étoiles qui garantissait le succès à court terme de l'équipe. Selke arrivait d'une équipe qui venait de remporter deux coupes Stanley (1942 et 1945) et qui allait en remporter quatre en cinq ans sans lui. Il savait gagner, mais en arrivant à Montréal, il a vite réalisé qu'il lui fallait s'armer de patience.

Selke avec Bob Gainey, qui a remporté le trophée Selke à ses quatre premières années d'existence.

À ses quatre premières saisons, les Canadiens n'ont atteint la finale de la coupe Stanley qu'une seule fois. Pendant ce temps, Selke améliorait l'équipe tant sur glace qu'à

FRANK SELKE

n. Berlin (Kitchener), Ontario, 7 mai 1893
d. Rigaud, Québec, 3 juillet 1985

AU REVOIR TORONTO, BONJOUR MONTRÉAL

Le départ de Frank Selke du Maple Leaf Gardens vers le fort ennemi, le Forum, repose sur un incident particulier. En 1941, le propriétaire torontois Conn Smythe quitta l'équipe afin de servir son pays à la Deuxième Guerre mondiale. Il a confié toutes responsabilités à Selke, son bras droit, mais il voulait constamment être consulté et avisé de tout développement au sein de l'équipe. Avant le début de la campagne 1943-1944, Selke a réalisé une importante transaction. Il a envoyé Frank Eddolls à Montréal en retour du jeune Ted Kennedy, ce qui a provoqué la colère de Smythe, qui n'avait pas été consulté. Celui-ci croyait beaucoup en Eddolls et ne voyait pas ce que Kennedy pouvait apporter aux Maple Leafs. La transaction a entraîné une agréable surprise, mais la relation des deux amis avait déjà trop souffert. De plus, Selke a décidé qu'il ne voulait plus être l'adjoint et a vu en Montréal une occasion rêvée de s'épanouir et de tirer lui-même les ficelles. Ce fut la première décision efficace qu'il a prise à l'égard des Canadiens de Montréal.

Frank Selke
Bâtisseur

Selke blague avec son joueur étoile, Maurice Richard, à la signature d'une nouvelle entente.

l'extérieur, en apportant des changements à l'équipe de dépisteurs et en s'appropriant des clubs-écoles pour disposer d'une plus grande profondeur.

De 1951 à 1960, le Tricolore avait atteint la finale des séries éliminatoires chaque année, un succès sans précédent dans l'histoire du circuit. Après avoir remporté la coupe une première fois lors de cette décennie en 1953, les Canadiens ont remporté la coupe de 1956

à 1960. Ce record inégalé est en quelque sorte le plus grand exploit réalisé par Frank Selke.

Au cours de cette période est venue une des plus grandes décisions qu'il a eu à prendre au cours de sa carrière. À l'été 1955, l'entraîneur-chef Dick Irvin a quitté son poste, ce qui a créé un vide énorme à remplir dans l'organisation. Après avoir rencontré de nombreux candidats, le directeur général des Canadiens souhaitait trouver un homme capable de diriger Maurice Richard. C'est alors que Toe Blake s'est vu confier la barre de

l'équipe, lui qui avait joué avec Richard. Les instincts de Selke lui ont bien servi, puisque ce sont Blake et le « Rocket » qui ont mené le club aux cinq conquêtes de la fin des années 1950.

La force de Selke était sa capacité de voir au-delà de la simple victoire. Il mettait l'accent sur une structure gagnante puis s'assurait de compter sur un plan intelligent pour l'avenir. Il savait que le jour viendrait où il devrait désigner son propre successeur. C'est pourquoi il a confié les rennes de l'équipe à Sam Pollock, un dépisteur qui a gravi les échelons du club. Pollock avait aussi dirigé le club-école puis il est plus tard devenu l'adjoint de Selke. Quand l'apprenti est devenu suffisamment mûr, l'heure a sonné et Selke s'est retiré en 1964. Il a continué de regarder l'équipe aspirer aux honneurs et pouvait être fier d'avoir légué à Montréal deux générations inoubliables de hockey.

Selke et l'entraîneur Dick Irvin étaient au cœur de la renaissance et de la domination du Tricolore à la fin des années 1940 et pendant les années 1950.

Respecté de tous, Frank Selke accordait toujours son entière attention à ses joueurs.

George Hainsworth

Gardien 1926-1927 à 1936-1937

Le grand George Hainsworth a réalisé ce que peu croyaient possible – remplacer Georges Vézina.

Hainsworth et ses 94 blanchissages en carrière figurent au troisième rang de tous les temps, 70 ans après sa retraite.

CANADIENS EN CHIFFRES GEORGE HAINSWORTH

n. Gravenhurst, Ontario, 26 juin 1895 | **d.** Gravenhurst, Ontario, 9 octobre 1950
5'6" | 150 lbs | gardien | attrape de la gauche

	SAISON RÉGULIÈRE						SÉRIES ÉLIMINATOIRES					
	PJ	V-D-N	Mins	BC	BL	MOY	PJ	V-D-N	Mins	BC	BL	MOY
1926-1927	44	28-14-2	2 732	67	14	1,47	4	1-1-2	252	6	1	1,43
1927-1928	44	26-11-7	2 730	48	13	1,05	2	0-1-1	128	3	0	1,41
1928-1929	44	22-7-15	2 800	43	22	0,92	3	0-3-0	180	5	0	1,67
1929-1930 🏆	42	20-13-9	2 680	108	4	2,42	6	5-0-1	481	6	3	0,75
1930-1931 🏆	44	26-10-8	2 740	89	8	1,95	10	6-4-0	722	21	2	1,75
1931-1932	48	25-16-7	2 998	110	6	2,20	4	1-3-0	300	13	0	2,60
1932-1933	48	18-25-5	2 980	115	8	2,32	2	0-1-1	120	8	0	4,00
1936-1937	4	2-1-1	270	12	0	2,67	—	—	—	—	—	—
TOTAUX	318	167-97-54	19 930	592	75	1,78	31	13-13-5	2 183	62	6	1,70

Après la retraite forcée de Georges Vézina le 28 novembre 1925, en raison d'une tuberculose, les Canadiens ont peiné à dénicher un remplaçant au meilleur gardien professionnel. Le Tricolore a essayé Herb Rheaume et Alphone « Frenchie » Lacroix, mais aucun des deux n'était à la hauteur. Finalement, sur recommandation de « Newsy » Lalonde, l'équipe a embauché George Hainsworth qui évoluait chez les Crescents de Saskatoon. Ces derniers jouaient dans la Ligue de l'Ouest qui a fermé ses portes, créant ainsi une vague joueurs autonomes.

Hainsworth n'était pas un choix évident. Il

avait déjà 31 ans à son arrivée à Montréal et entreprenait sa 15e saison professionnelle. Pour ajouter à l'inquiétude, il avait passé toute sa carrière dans des circuits bien inférieurs à la LNH.

Malgré tout, Hainsworth s'est amené à Montréal et il a connu énormément de succès. Au cours des sept saisons suivantes, il a joué tous les matchs de l'équipe à l'exception de deux rencontres. À sa première saison, en 1926-1927, Hainsworth a dominé la ligue avec 14 blanchissages. Il a aussi remporté le tout nouveau trophée Vézina, remis par les propriétaires des Canadiens en mémoire du défunt Georges Vézina. À cette époque, ce trophée récompensait le gardien ou les gardiens de l'équipe qui a accordé le moins de buts.

Les deux années suivantes étaient remarquablement similaires. Hainsworth a décroché le trophée Vézina les deux fois et il a réalisé respectivement 13 et 22 jeux blancs. Les 22 blanchissages obtenus en seulement 44 matchs représentent encore à ce jour un record. Ce record symbolise autant l'ère que le brio de Hainsworth. À cette époque, les passes vers l'avant n'étaient pas permises sur la majeure partie de la surface glacée, si bien qu'il y avait moins de buts. À partir de la saison 1929-1930, le règlement permettait les passes vers l'avant sur l'ensemble de la patinoire, contribuant à l'augmentation des pointages et des moyennes chez les gardiens et à la baisse des blanchissages. Étrangement, c'est à ce moment que les Canadiens ont remporté la coupe Stanley pour la première fois depuis 1924 même si Hainsworth ne signe que quatre blanchissages, néanmoins un sommet dans la LNH.

Montréal a balayé la série finale contre Boston, une équipe qui avait vaincu les Canadiens lors des quatre matchs du calendrier régulier. L'année suivante, les Canadiens ont défendu leur titre. En 1931-1932, il a mené la ligue avec 25 triomphes en seulement 48 rencontres. La saison suivante, il a conservé une fiche décevante de 18-25-5 et il s'est retrouvé à Toronto en retour d'un autre gardien, Lorne Chabot. Après trois saisons avec les Leafs, il a été renvoyé. À 41 ans, Hainsworth a signé un dernier contrat avec les Canadiens pour conclure sa carrière. Il

a participé à quatre matchs en 1936-1937 pour ensuite accrocher ses jambières.

Avec 94 blanchissages, Hainsworth occupe le troisième rang derrière Terry Sawchuk (103) et Martin Brodeur (96), qui est toujours actif. La carrière de Hainsworth raconte l'incroyable histoire d'un gardien qui a remplacé une légende pour en devenir une.

UN RECORD QUI NE SERA JAMAIS ÉGALÉ

Quand George Hainsworth a réussi 22 blanchissages en une saison de 44 matchs en 1928-1929, il a accompli un record qui restera à tout jamais dans les annales de la LNH. Cette performance était le point culminant de trois premières brillantes saisons dans la Ligue nationale de hockey, ayant obtenu respectivement 14 et 13 jeux blancs à ses deux premières campagnes dans le circuit. Hainsworth a joué toutes les minutes de chacun des matchs des Canadiens cette année-là, mais ce qui est encore plus remarquable c'est que 15 des matchs de l'équipe s'étaient terminés en prolongation. Il s'agissait de l'époque où les règles de la LNH interdisaient les passes vers l'avant en zone défensive et centrale. Ce n'est que la saison suivante que cette règle est tombée, entraînant ainsi une hausse fulgurante au chapitre des buts marqués dans la ligue et une baisse drastique dans la colonne des blanchissages.

Joe Hall

Défenseur *1917-1918 à 1918-1919*

C'est avec raison qu'on surnommait Joe Hall « Bad Joe » tant il était sournois avec son bâton. Par contre, il arrivait à faire oublier ce caractère bouillant par un esprit compétitif hors pair et un talent qui allait au-delà de sa témérité. Après sa mort en pleine finale de la coupe Stanley, coéquipiers et adversaires ne parlaient que de ses habiletés.

Né en Angleterre, Hall a déménagé au Canada où Joe a commencé à jouer au hockey. Après s'être promené dans plusieurs ligues au Canada, il s'alignait avec les Shamrocks de Montréal en 1909 quand l'Association nationale de hockey a démarré ses activités.

Avant le début de l'ANH, Hall évoluait chez les Thistles de Kenora et il a pris part à la finale de la coupe Stanley de 1907 face aux Wanderers de Montréal. Il avait précédemment porté les couleurs du Rowing Club de Winnipeg en janvier 1903 quand cette équipe s'était incliné

« Bad Joe » Hall était craint autant pour sa fougue au jeu, que pour son talent.

contre les Silver Seven d'Ottawa dans la grande finale.

La saison suivante, Hall a rejoint les Bulldogs de Québec et il est demeuré sept ans dans la Vieille Capitale, remportant deux coupes Stanley (1912, 1913) durant cette période. Un des meilleurs buteurs du circuit l'année de la première victoire, il a marqué la moitié des buts de son équipe dans le match décisif de la deuxième conquête, remporté 6 à 2 sur les Miners de Sydney.

Ces années ont aussi été marquées par une rivalité féroce avec les Canadiens de Montréal, principalement illustrée par les confrontations entre Hall et Newsy Lalonde. En 1917, les Bulldogs se sont retirés de la nouvelle Ligue nationale de hockey, qui avait remplacé l'ANH et tous les joueurs ont été soumis au repêchage de la LNH. Hall a été réclamé par les Canadiens et la direction a poussé l'ironie à son comble en l'assignant comme cochambreur de Lalonde.

À sa première année avec l'équipe en 1917-1918, les Canadiens n'ont pas atteint les séries éliminatoires, mais ils ont réussi la saison suivante. Le Tricolore s'est rendu à Seattle pour y affronter les Metropolitans, mais cette finale a été compliquée en mars 1919 par une pandémie mondiale d'influenza. Les équipes ont partagé les honneurs des cinq premiers matchs (deux victoires chacune et un match nul), mais plusieurs joueurs

des Canadiens ont dû être hospitalisés. Joe Hall est décédé le 5 avril et le reste de la série a été annulé. La coupe Stanley n'a pas été décernée cette année-là.

Hall avait signé un énorme contrat qui lui rapportait 600 $ pour la saison 1918-1919 et qui comprenait un boni de 100 $ en cas de conquête de la coupe. La grippe espagnole, cause du décès plus de 20 millions de personnes à travers le monde, a eu le dessus sur les ambitions de Hall. Il laissa dans le deuil une épouse, deux fils et une fille.

LA FINALE ANNULÉE

Tout avait commencé comme une série nord-américaine aux dimensions historiques. Les Metropolitans de Seattle, des Américains de l'Ouest affrontaient les fameux Canadiens de Montréal dans une série au meilleur de sept matchs pour la coupe Stanley à Seattle. Les hôtes ont donné le ton aux hostilités par une victoire de 7 à 0. Le Tricolore a égalisé la série par un gain de 4 à 2 dans le deuxième match. Seattle a repris les devants en l'emportant 7 à 2, puis les Mets ont neutralisé les Canadiens dans un match nul de 0 à 0. Le cinquième match a été gagné 4 à 3 en prolongation par Montréal sur un but de Jack McDonald dans ce qui aurait pu être le dernier match de la série. Ce résultat a donc égalisé la série au lieu de favoriser Seattle, qui aurait été en avance et aurait remporté la coupe au moment de l'annulation. McDonald a été le héros du Tricolore en marquant à 15:57 de la prolongation.

CANADIENS EN CHIFFRES
JOE HALL

n. Staffordshire, Angleterre, 3 mai 1882   **d.** Seattle, Washington, 5 avril 1919
5'10"   175 lbs   défenseur   lance de la droite

	SAISON RÉGULIÈRE					SÉRIES ÉLIMINATOIRES				
	PJ	B	A	Pts	Pun	PJ	B	A	Pts	Pun
1917-1918	21	8	7	15	100	2	0	1	1	12
1918-1919	17	7	1	8	89	5	0	0	0	17
TOTAUX	38	15	8	23	189	7	0	1	1	29

Maurice « Rocket » Richard

Ailier droit 1942-1943 à 1959-1960

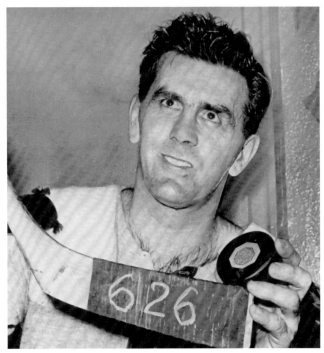

Le Rocket célèbre son 626e point en carrière, une nouvelle marque dans la LNH.

Peu importe si d'autres joueurs ont inscrit plus de buts ou remporté plus de coupes Stanley. Peu importe si les joueurs d'aujourd'hui sont plus imposants et plus rapides, qu'ils tirent la rondelle plus durement ou que les gardiens sont en meilleure condition et plus talentueux. Peu importe si son dernier match a été disputé en 1960, il y a presque un demi-siècle. Il n'y aura jamais un autre joueur comme Maurice « Rocket » Richard. Plus que tout autre joueur de la LNH, il était un symbole social et politique et au-delà de sa grande carrière au hockey, il était Canadien-Français d'abord et avant tout.

Richard est le joueur le plus aimé et admiré de l'histoire des Canadiens de Montréal. Fils d'une famille de sept enfants, son frère Henri est bien connu des amateurs de hockey, il n'a pas eu droit à une enfance aisée. Plus tard, ces origines humbles faciliteront l'identification des Québécois à leur héros, après que Maurice soit devenu le « Rocket » et le garçon une vedette de hockey. Par ailleurs, ses succès ont été la plus grande source d'inspiration, un rare signe d'espoir, un rayon de fierté d'une génération de citoyens traités comme s'ils étaient de deuxième

Les frères Richard étaient absolument inséparables.

classe, qui brillait au milieu de la pauvreté et de la destitution avec une ténacité résolue.

Richard a enfilé les patins à l'âge de quatre ans et comme plusieurs autres garçons d'un bout à l'autre du pays, il s'est épris du hockey. Walter Gretzky est reconnu pour avoir aménagé une patinoire dans la cour pour son fils Wayne, mais au milieu des années 1920, M. Onésime Richard avait aussi préparé un rond de glace pour ses enfants. À 11 ans, Maurice s'est joint à une équipe organisée de son quartier. Déjà très bon, on voyait en lui un avenir dans la LNH avant la fin de son adolescence.

Son arrivée dans la ligue ne s'est pas faite sans heurts et sa place dans l'histoire a été longue à s'assurer. Au cours de

CANADIENS EN CHIFFRES
MAURICE « Rocket » RICHARD

n. Montréal, Québec, 4 août 1921   **d.** Montréal, Québec, 27 mai 2000
5'10"   170 lbs   ailier droit   lance de la gauche

	SAISON RÉGULIÈRE					SÉRIES ÉLIMINATOIRES				
	PJ	B	A	Pts	Pun	PJ	B	A	Pts	Pun
1942-1943	16	5	6	11	4	—	—	—	—	—
1943-1944 🏆	46	32	22	54	45	9	12	5	17	10
1944-1945	50	50	23	73	46	6	6	2	8	10
1945-1946 🏆	50	27	21	48	50	9	7	4	11	15
1946-1947	60	45	26	71	69	10	6	5	11	44
1947-1948	53	28	25	53	89	—	—	—	—	—
1948-1949	59	20	18	38	110	7	2	1	3	14
1949-1950	70	43	22	65	114	5	1	1	2	6
1950-1951	65	42	24	66	97	11	9	4	13	13
1951-1952	48	27	17	44	44	11	4	2	6	6
1952-1953 🏆	70	28	33	61	112	12	7	1	8	2
1953-1954	70	37	30	67	112	11	3	0	3	22
1954-1955	67	38	36	74	125	—	—	—	—	—
1955-1956 🏆	70	38	33	71	89	10	5	9	14	24
1956-1957 🏆	63	33	29	62	74	10	8	3	11	8
1957-1958 🏆	28	15	19	34	28	10	11	4	15	10
1958-1959 🏆	42	17	21	38	27	4	0	0	0	2
1959-1960 🏆	51	19	16	35	50	8	1	3	4	2
TOTAUX	978	544	421	965	1 285	133	82	44	126	188

Richard fonce vers Turk Broda de Toronto.

Maurice « Rocket » Richard

Ailier droit 1942-1943 à 1959-1960

Richard lutte pour la rondelle dans l'enclave contre ses grands rivaux des Maple Leafs de Toronto.

ses deux dernières années dans les rangs amateurs avec les Canadiens Senior de Montréal, Richard était accablé par les blessures. Il a raté la majeure partie de la saison 1940-1941 en raison d'une vilaine fracture à la cheville et encore la saison suivante avec une fracture au poignet. Malgré tout, les Canadiens l'ont embauché avant la saison 1942-1943, geste qui semblait être une erreur quand Richard s'est à nouveau fracturé la cheville au 16e match de sa saison recrue. Il a raté le reste de la campagne et le club était préoccupé qu'il soit trop frêle malgré son talent indéniable pour réussir dans la LNH.

Richard a calmé les inquiétudes en 1943-1944, quand il a marqué 32 buts en 46 matchs et a mené l'équipe en séries éliminatoires avec beaucoup d'aplomb. Une fois la coupe Stanley remportée, Richard était un héros en route vers la gloire. Il a marqué 12 buts en neuf matchs, notamment cinq buts dans le balayage de Chicago en finale. Il a notamment marqué les trois buts des siens dans le deuxième match.

C'est au cours de cette saison que le surnom « Rocket » est apparu. Assis au banc, son coéquipier Ray Getliffe surveillait la jeune étoile faire fondre la glace et remplir le filet avec le « feu dans ses yeux », une véritable marque de commerce de Richard. Getliffe faisait remarquer que Richard ressemblait à une fusée. Le journaliste Dink Carroll, qui se tenait pas loin derrière a entendu la remarque et l'a utilisé dans son article. C'est ainsi que le surnom a collé à Richard jusqu'à la fin de ses jours.

Dernier moment de sa grande carrière, Richard remporte une cinquième coupe de suite au printemps de 1960. Il se retire avant le début de la saison suivante.

Maurice « Rocket » Richard

Ailier droit 1942-1943 à 1959-1960

La saison suivante, les attentes étaient énormes à l'endroit de Richard, mais personne ne prévoyait comment il allait y répondre. Les premiers signes de saison record sont apparus le 28 décembre 1944 au Forum dans un match contre Détroit. Richard avait passé la journée à déménager et il a avisé l'entraîneur Dick Irvin qu'il se sentait trop fatigué pour disputer le match. Irvin lui a dit de faire de son mieux et Richard a répondu en inscrivant huit points, un record dans la LNH, dans un gain de 9 à 1 sur les Red Wings.

Comme le calendrier de 50 matchs tirait à sa fin, Richard approchait du record de 44 buts en une saison réalisé par

Joe Malone en 1917-1918 dans une saison de 20 matchs. En vérité, le jeu et les règlements avaient tellement changé qu'il était injuste de comparer l'ère et les records de Malone et de Richard, mais un record est un record. Richard a non seulement égalisé la marque, mais il a aussi établi un nouveau standard pour les marqueurs quand le 18 mars 1945, il a marqué son 50e but de la saison en déjouant Harvey Bennett des Bruins de Boston.

La marque de 50 buts en 50 matchs est devenue le jalon pour tous les grands marqueurs jusqu'à ce qu'elle soit égalée par Mike Bossy des Islanders de New York, plus de 30 ans plus tard, puis par Gretzky en 1981-1982, qui a marqué 50 buts en 39 matchs. Gretzky a terminé cette saison avec 92 buts, un record qui risque de durer plus longtemps

Doté d'un regard intimidant, Richard ne reculait devant personne, ici face à face avec Ivan Irwin des Rangers.

que la marque originale de Richard.

Les Canadiens n'ont pas remporté la coupe cette année-là, mais ils réussirent la saison suivante. Richard a inscrit seulement 27 buts en saison régulière, mais ses sept buts en séries éliminatoires ont transporté les Canadiens en finale, en balayant d'abord Chicago pour ensuite vaincre les Bruins en finale en cinq matchs.

Richard s'établissait comme le meilleur joueur de tous les temps pour plusieurs raisons. D'abord, il était un rare exemple de gaucher qui jouait sur l'aile droite. En évoluant de ce côté, il était en mesure de foncer au filet avec un angle de tir favorable. La position convenait donc très bien à sa position.

Jean Béliveau saute sur la patinoire pendant que Richard se repose sur la bande.

Il était aussi un rare exemple du marqueur pur-sang. Personne n'a parlé de la qualité de ses passes ou de ses replis défensifs. Son talent et sa carrière reposaient sur sa capacité à marquer des buts. Bien sûr pour y arriver, il avait aussi besoin de se créer de l'espace et il était connu pour ne jamais reculer devant un combat ou d'utiliser son bâton contre un adversaire si c'est ce qu'il fallait pour mériter le respect.

PREMIER ARRIVÉ À 500

Peu importe le nombre de joueurs qui franchissent le cap des 500 buts, le premier à avoir réussi l'exploit a été Maurice Richard. Le soir du 19 octobre 1957, il est arrivé au Forum pour affronter le gardien Glenn Hall et les Black Hawks de Chicago avec 499 buts en carrière à son actif. En fin de première période, Ian Cushenan des Hawks a été pénalisé pour avoir retenu Richard et Toe Blake a envoyé sur la glace la meilleure unité de jeu de puissance de l'histoire avec Richard, Jean Béliveau, Dickie Moore et Doug Harvey à la ligne bleue et l'attaquant Bernard Geoffrion à la pointe. Moore a envoyé le disque en zone adverse vers Béliveau, stationné à la gauche de Hall. Ce dernier a rapidement glissé la rondelle vers Richard qui a tiré sur réception pour déjouer Hall, qui venait tout juste d'effectuer deux arrêts sensationnels pour empêcher le « Rocket » de marquer son 500e but. Ce tir s'est avéré impossible à arrêter et Richard a ramassé la rondelle historique dans le fond du filet.

Maurice « Rocket » Richard

Ailier droit 1942-1943 à 1959-1960

Richard célèbre après être devenu le premier joueur dans la LNH à franchir le cap des 500 buts en carrière.

Le gardien torontois Turk Broda ne peut résister à Richard laissé seul contre lui au Maple Leaf Gardens.

La popularité inégalée de Richard était telle que les Canadiens ont organisé une soirée en son honneur le 17 février 1951 à mi-chemin dans sa carrière. Le besoin de l'honorer était tellement criant que l'équipe ne pouvait pas attendre son dernier match ou sa dernière saison pour reconnaître sa place dans l'histoire de l'équipe.

Richard est demeuré en santé pendant plusieurs saisons, mais il a raté plusieurs semaines d'activité en 1951-1952 en raison d'un mystérieux malaise à l'estomac que les médecins n'arrivaient pas à diagnostiquer. Richard a été envoyé en Floride pour se reposer et il est revenu au Québec en santé à temps pour les séries éliminatoires. Même si les Canadiens ont perdu contre Détroit en finale, le but de Richard contre Boston en demi-finale est encore considéré comme un des plus grands moments de l'histoire des séries. En deuxième période du septième match alors que la marque était égale 1 à 1, Leo Labine des Bruins a asséné un coup de poing à Richard qui lui a fait perdre conscience.

Richard a repris ses esprits et est revenu dans le match, légèrement alourdi. Avec moins de quatre minutes à faire au match, il a foncé derrière deux défenseurs des Bruins avant de battre Sugar Jim Henry d'un tir. La photo démontrant Henry la tête inclinée serrant la main de Richard après le match demeure une des plus grandes images du hockey.

La saison suivante, le 8 novembre 1952, Maurice Richard est devenu le meilleur buteur de tous les temps avec son 325e filet, abaissant la marque établie par Nels Stewart des Bruins. Il a préservé ce titre pendant 11 ans, élevant son total à 544 buts.

Le moment pivot de la carrière de Richard est survenu le soir du 13 mars 1955. Dans un match à Boston, une foire

Maurice « Rocket » Richard

Ailier droit 1942-1943 à 1959-1960

a éclaté et Richard a frappé le défenseur Hal Laycoe sur la tête avec son bâton. Il a plus tard asséné un coup de poing au juge de ligne Cliff Thompson. Le président de la LNH Clarence Campbell a suspendu Richard pour les trois derniers matchs de la saison régulière et pour l'ensemble des séries éliminatoires. Quatre soirs plus tard dans le premier match des Canadiens depuis la suspension, à Montréal face aux Red Wings, Campbell était assis dans les estrades. Au cours de la première intermission, des partisans ont allumé des bombes fumigènes et ont déclenché une émeute au Forum.

L'émeute a débordé dans les rues à la sortie des spectateurs après que Campbell eut ordonné l'arrêt du match, décrétant la victoire des Red Wings par forfait. La violence était telle que Richard lui-même a lu un message à la radio pour tenter de mettre fin au carnage. Richard était meneur

parmi les marqueurs avant sa suspension, mais son coéquipier Bernard Geoffrion l'a dépassé au cours des trois derniers matchs et a remporté le trophée Art-Ross. Richard n'était jamais passé aussi prêt de remporter le titre de champion, si bien que Geoffrion a été hué à outrance par ses propres partisans quand il a devancé Richard en fin de saison. Détroit a battu Montréal en finale dont le résultat aurait sûrement été différent selon les partisans des Canadiens si le « Rocket » avait été sur la glace.

Sur le plan social, Richard a clairement indiqué que sa suspension n'avait rien à voir avec la violence dans le sport, mais plutôt qu'un président canadien-anglais exerçait son pouvoir envers un joueur canadien-français. Dans le contexte sociopolitique de l'époque, la population francophone était plus que prête à croire à son idole. Peu importe si l'incident s'était produit dans un match de la LNH, Richard est devenu un héros pour tous les Canadiens-Français.

La suspension a été maintenue et les attaques contre Laycoe et Thompson

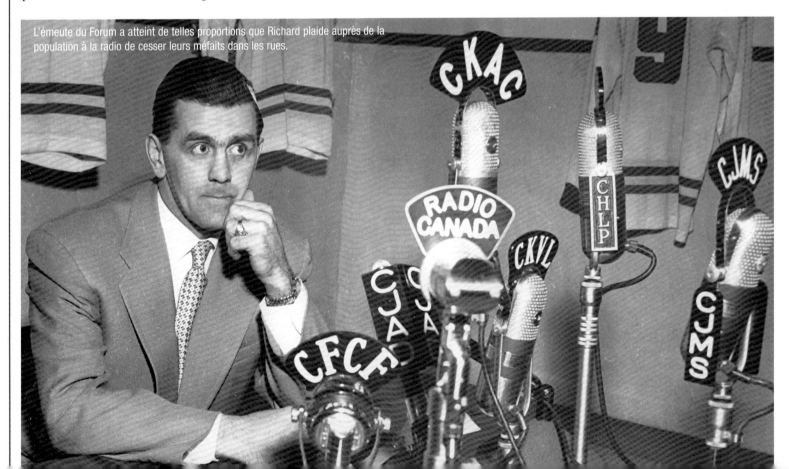

L'émeute du Forum a atteint de telles proportions que Richard plaide auprès de la population à la radio de cesser leurs méfaits dans les rues.

n'ont jamais été tolérées ou excusées. Par contre, la fierté et l'honneur de Richard ont élevé son statut au-dessus des super-étoiles du hockey. Après l'émeute, Richard a joué cinq autres bonnes saisons et il a connu une des périodes les plus mémorables de sa carrière. Nommé capitaine en 1956, il a remporté la coupe à chacune de ses saisons en poste. L'année précédente, son jeune frère Henri s'était joint à l'équipe, redonnant un nouveau souffle à la carrière du « Rocket ».

Le 19 octobre 1957, Maurice Richard est devenu le premier joueur de l'histoire de la LNH à franchir le cap des 500 buts en carrière. Un peu plus tard, il a subi une blessure au tendon d'Achille et a raté le reste de la saison, remettant son avenir en question. Il est toutefois revenu au jeu la saison suivante, seulement pour se blesser à la cheville et rater plusieurs autres semaines d'activité. À sa dernière saison en 1959-1960, les Canadiens ont mis la main sur une cinquième coupe Stanley de suite et même si Richard a marqué son dernier but en séries éliminatoires, il n'a pas immédiatement annoncé sa retraite. De retour au camp d'entraînement en 1960-1961, il a alors constaté son ralentissement, son âge et le fait qu'il n'avait pas grand-chose à ajouter à l'héritage qu'il laissait sur la glace.

Richard a terminé sa carrière avec 544 buts, record de tous les temps qui a été abaissé par Gordie Howe. Il a fait son entrée au Temple de la renommée un an après, réduisant l'attente minimale de cinq ans à une seule année. Au fil des ans, il ne s'est jamais trop éloigné du Forum, symboliquement ou physiquement. Toutefois, le 11 mars 1996, soir du dernier match au Forum, il pourrait bien avoir vécu son plus grand souvenir. À cette occasion, les Canadiens ont invité toutes leurs légendes vivantes. Le dernier joueur présenté a été Maurice Richard qui, larmes aux yeux les bras élevés, implorait la foule de se rasseoir et de cesser d'applaudir et de l'acclamer, tandis que les partisans l'ont honoré dans un grand vacarme pendant 11 minutes. C'est seulement alors qu'on a pu dire que le Forum a eu droit à des adieux dignes de ce nom.

Le temps n'aura pas eu raison du souvenir du « Rocket » puisque la LNH

a présenté le trophée Maurice-Richard à partir de 1998, remis annuellement au meilleur buteur en saison régulière. Le premier récipiendaire a été Teemu Selanne des Mighty Ducks d'Anaheim. Richard lui-même a remis le trophée éponyme au joueur finlandais.

Maurice Richard est décédé le 27 mai 2000 et comme Howie Morenz trois quarts de siècle plus tôt, il a eu droit à des funérailles d'une grandeur inégalée dans l'histoire du Québec. Son corps a été exposé en chapelle ardente au nouveau Centre Molson et des milliers de partisans sont venus lui rendre un dernier hommage. Des centaines de milliers de partisans se sont alignés le long du parcours entre l'aréna et le cimetière, honorant un héros, un homme aux origines simples qui s'est élevé, un homme fier de son patrimoine et de sa culture, premier véritable symbole de fierté canadienne-française, sans compter qu'il était un sacré bon joueur de hockey.

Saison régulière ou séries éliminatoires, le Rocket remplissait le filet adverse. Il détient le record des Canadiens avec 33 tours du chapeau en carrière.

Jack Laviolette
Défenseur/Attaquant 1909-1910 à 1917-1918

Bien que né à Belleville en Ontario, Jack Laviolette a vécu toute sa vie adulte à Montréal. Et pourquoi pas? Après avoir signé un contrat avec les Shamrocks de Montréal en 1907, il a joué le reste de sa carrière dans cette ville et est devenu un membre pionnier des Canadiens de Montréal lors de la fondation du club en 1909.

Laviolette joua deux ans avec les Shamrocks de l'ECAHA. Mais à l'automne 1909, ce circuit rencontra une forte opposition de la nouvelle Association nationale de hockey. Laviolette a accepté une offre des Canadiens et a été nommé directeur et capitaine de l'équipe – le premier dans l'histoire de l'équipe, lançant ainsi sa carrière professionnelle à l'âge de 30 ans. Son double rôle avec l'équipe lui a permis de gagner un salaire

Laviolette a porté sa part de différents chandails des Canadiens au fil des ans.

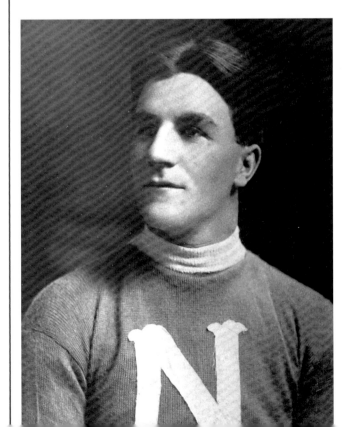

de 5 000 $, une somme énorme à l'époque. En effet, les propriétaires de l'équipe, T.C. Hare et Ambrose O'Brien lui ont donné carte blanche pour organiser l'équipe comme bon lui semblait.

Il a joué comme défenseur aux côtés de Didier Pitre et plus tard avec « Newsy » Lalonde. Les trois se sont retrouvés plus tard au sein d'un trio offensif, témoignage de leurs capacités de patineurs – leurs courses d'un bout à l'autre de la patinoire, leur vitesse et leur habileté – ce qui a conduit au surnom de « Flying Frenchmen » qu'on a collé aux équipes productives de Montréal.

Les Canadiens ont gagné leur seule coupe Stanley dans l'ANH en 1916 après avoir battu les Rosebuds de Portland par la marque de 2 à 1 dans le cinquième match de la finale, un premier match ultime en finale de la coupe Stanley. Tous les matchs ont été disputés à Montréal, où

Laviolette a remporté son seul championnat. C'était aussi la première coupe Stanley gagnée par les Canadiens, aujourd'hui l'équipe la plus titrée de l'histoire.

En 1917, l'ANH s'est dissoute et a repris vie sous le nom Ligue nationale de hockey. Laviolette n'était qu'un joueur remplaçant à ce moment dans sa carrière, mais il a dû fermer les livres pour de bon à la suite d'un malheureux accident à l'été de 1918. Passionné de course d'automobiles, il a profité de la saison morte pour partir en tournée à travers le Québec à bord de sa nouvelle voiture. Toutefois, son accident a entraîné l'amputation de son pied droit.

Son dernier match sur patins a eu lieu en 1921 à l'Aréna Mont-Royal dans une rencontre-bénéfice en son honneur. Un pied artificiel a été créé pour lui permettre d'être sur la glace comme arbitre.

CANADIENS EN CHIFFRES
JACK LAVIOLETTE

n. Belleville, Ontario, 27 juillet 1879 | **d.** Montréal, Québec, 9 janvier 1960
5'11" | 170 lbs | défenseur/attaquant | lance de la droite

| | SAISON RÉGULIÈRE | | | | | SÉRIES ÉLIMINATOIRES | | | | |
	PJ	B	A	Pts	Pun	PJ	B	A	Pts	Pun
1909-10	11	3	0	3	26	—	—	—	—	—
1910-11	16	0	0	0	24	—	—	—	—	—
1911-12	17	7	0	7	10	—	—	—	—	—
1912-13	20	8	0	8	77	—	—	—	—	—
1913-14	20	7	9	16	30	2	0	1	1	0
1914-15	18	6	3	9	35	—	—	—	—	—
1915-16 🏆	18	8	3	11	62	4	0	0	0	6
1916-17	17	7	3	10	24	6	1	2	3	9
1917-18	18	2	1	3	6	2	0	0	0	0
TOTAUX LNH	18	2	1	3	6	2	0	0	0	0

* 1909-1917=ANH

ÉTOILE DE LA CROSSE

Jack Laviolette a également été un excellent joueur de crosse, même qu'il a été intronisé au Temple de la renommée du sport canadien pour sa carrière dans ce sport. Il a évolué avec le National et le AAA de Montréal, et ses coéquipiers incluaient des légendes de la crosse telles que Johnny Howard et Andy Hamilton. Plus important encore, Laviolette jouait avec le National aux côtés de Didier Pitre et de « Newsy » Lalonde, ses coéquipiers chez les Canadiens. Leurs carrières ont pris fin en 1910 quand ils sont partis en Colombie-Britannique pour arracher la Coupe Minto aux Salmon Bellies de New Westminster.

Ambrose O'Brien
Bâtisseur

Une série extraordinaire d'événements a rendu le nom d'Ambrose O'Brien si important dans le développement du hockey professionnel, ainsi que dans la création des Canadiens de Montréal.

O'Brien était propriétaire d'une équipe de hockey à Renfrew au début des années 1900. O'Brien, comme tout joueur ou dirigeant de nos jours, rêvait de gagner la coupe Stanley et pas seulement un championnat local du Nord de l'Ontario. Il a donc demandé d'être intégré à l'ECAHA, mais sa requête a été refusée. En même temps, l'ECAHA expulsait les Wanderers de Montréal. O'Brien a rencontré ces propriétaires et ils ont décidé de fonder l'Association nationale de hockey, qui comptait six équipes, notamment quatre commanditées par O'Brien et son père, qui avait acquis une énorme richesse grâce à l'exploitation minière et aux chemins de fer.

En addition de Renfrew et des Wanderers, l'ANH comprenait des équipes à Cobalt et à Haileybury, tandis que la sixième équipe s'appelait les Canadiens de Montréal, commanditée par O'Brien à la condition qu'elle soit rendue aux investisseurs dès que ces derniers soient trouvés. La ligue joua pour la coupe O'Brien, un trophée utilisé plus tard par la LNH en 1917 quand elle a succédé à l'ANH. Ces champions de ligue pouvaient recevoir la coupe Stanley ou mettre l'équipe championne au défi.

Ironiquement, l'ECAHA fut impacté en ce moment par le retrait des Bulldogs de Québec et des Sénateurs d'Ottawa, qui ont fait le saut dans

Presque à lui seul O'Brien a financé l'ancêtre de la LNH, l'Association nationale de hockey.

O'Brien n'a pas remporté la coupe Stanley avec les Millionaires de Renfrew, mais il a participé à la création des Canadiens en 1909.

INTRONISÉ EN 1962

la LNH. Ainsi, la puissante ligue amateur d'autrefois se retrouvait avec seulement deux équipes et donc obligée de se dissoudre.

L'ANH et ses six équipes sont devenues la meilleure ligue du Canada et O'Brien était déterminé à gagner la coupe Stanley pour son équipe Renfrew. Il a fait signer de contrats à Lester et Frank Patrick, Cyclone Taylor, Marty Walsh et Fred Whitcroft, tous des vedettes à leur moment. Leur salaire cumulatif leur a valu le surnom de « Millionaires ».

Malheureusement, l'équipe n'a jamais gagné la coupe, et s'est dissoute peu après de manière ironique. Les frères Patrick ont déménagé à Vancouver pour fonder leur propre ligue, et comme O'Brien, ils tentèrent des joueurs à l'ouest avec la promesse de grands salaires. Ils ont eux-mêmes pu payer le développement de la Ligue de hockey de la Côte du Pacifique grâce à l'argent qu'ils avaient gagné auprès d'O'Brien en jouant dans l'ANH !

Le trophée O'Brien était décerné chaque année au champion des séries éliminatoires de l'ANH.

En 1917, l'ANH s'est dissoute et O'Brien est retourné travailler dans le secteur privé. Grâce à lui, l'ECAHA a cédé le pas à l'ANH, et finalement à la LNH. En effet, la création de l'ANH a placé les Canadiens sur le chemin de la gloire.

AMBROSE O'BRIEN

n. Renfrew, Ontario, 27 mai 1885
d. Ottawa, Ontario, 25 avril 1968

UNE ÉQUIPE FRANCOPHONE POUR MONTRÉAL

Alors que l'ECAHA expulsait les Wanderers de Montréal de ses cadres, O'Brien a cru qu'il y avait assez de joueurs – et d'admirateurs – franco-canadiens à Montréal pour soutenir une équipe constituée entièrement de joueurs francophones. A cette fin, il a amené les Canadiens à l'ANH. En 1909-1910, l'équipe comprenait entres autres Jack Laviolette, « Newsy » Lalonde et Didier Pitre. Leur premier match de la saison a été disputé le 5 janvier 1910, dans une victoire de 7 à 6 des Canadiens sur Cobalt. Après un an sous la direction d'O'Brien, ce dernier a vendu l'équipe à George Kennedy pour la somme de 7 500 dollars. Kennedy en est resté propriétaire jusqu'à sa mort en 1921, après quelle date sa veuve a vendu au groupe dirigé par Léo Dandurand, Joe Cattarinich, et Louis Létourneau. En septembre 1935, la Canadian Arena Company a pris possession de l'équipe.

Didier Pitre

Membre de l'édition originale des Canadiens en 1909, Pitre a joué presque toute sa carrière avec ce club avant sa retraite en 1923.

Pitre a contribué à la première coupe Stanley des Canadiens en 1915-1916.

Didier Pitre établissait ses propres règles, autant sur la patinoire qu'à l'extérieur. Il était le meilleur marqueur et le joueur le mieux rémunéré de son époque. Il affichait un poids supérieur à 200 livres, ce qui ne l'empêchait pas d'être un beau patineur, mais c'est surtout son puissant tir qui a contribué à le faire entrer dans la légende. Même ses tirs qui rataient la cible causaient des dommages, abîmant fréquemment la bande derrière le filet adverse. Une telle situation semble improbable de nos jours, mais dans les années 1910, les bandes étaient faites de bois, et donc, plus fragiles.

Pitre a entrepris sa carrière professionnelle en 1903 avec le National de Montréal. L'année suivante, il s'est joint aux Americans de Sault Ste-Marie de la IHL, le premier circuit professionnel de l'histoire du hockey. Pitre s'est promené durant quelques saisons, mais en 1909, il s'est établi avec les Canadiens. Il a passé 13 des 14 années suivantes avec l'équipe, autant dans l'Association nationale de hockey que dans la LNH, ne quittant les Canadiens que pour une saison avec les Millionaires de Vancouver. Pitre a même été le premier joueur à signer un contrat avec le Tricolore à la création du club en 1909.

Pitre a fait ses débuts à la défense aux côtés de Jack Laviolette. Ils étaient si bons patineurs qu'ils furent rapidement surnommés les « Flying Frenchmen ». Deux ans plus tard, on les a convertis en attaquants pour former un trio avec « Newsy » Lalonde. Cette ligne d'attaque a mené les Canadiens à leur première coupe Stanley en 1916. Montréal a eu le meilleur sur les Rosebuds de Portland, 2 à 1, dans le match décisif d'une série disputée entièrement dans la métropole.

Ce fut la seule coupe Stanley soulevée par Pitre. Il a pris également part à la finale de 1919, mais elle a été annulée en raison d'une épidémie de grippe. Aimé des partisans, Pitre allait cependant connaître une difficile

fin de carrière. Quand Léo Dandurand est devenu le propriétaire de l'équipe en 1921, il a voulu implanter une nouvelle philosophie, facilement acceptée par les jeunes joueurs, mais moins par les vétérans.

Dandurand a demandé la loyauté et la discipline de la part de ses joueurs. Pitre n'a adhéré qu'à un seul des deux concepts. Participer à un régime d'entraînement sérieux n'était pas pour lui alors qu'il trouvait davantage de plaisir à sortir le soir. Son rythme de vie ne l'empêchait pas d'être le meilleur joueur sur la patinoire, mais il a perdu une bonne partie de son salaire cette saison-là en raison des amendes qui lui ont été imposées. La direction des Canadiens allait même se demander si Pitre ne devrait pas être suspendu.

Les qualités de joueurs de Pitre ont eu cependant le dessus. Il demeura avec les Canadiens jusqu'au moment de sa retraite en 1923. Reconnu comme une des premières vedettes de l'équipe, il retourna vivre à Sault Ste-Marie où il a continué de jouer pendant plusieurs années tout en travaillant comme chauffeur de camion. Pitre est décédé d'une indigestion aiguë à l'âge de 50 ans.

CANADIENS EN CHIFFRES
DIDIER PITRE

n. Valleyfield, Québec, 1 septembre 1883   **d.** Sault Ste. Marie, Michigan, 29 juillet 1934
5'11" | 185 lbs | attaquant/défenseur | lance de la droite

	SAISON RÉGULIÈRE					SÉRIES ÉLIMINATOIRES				
	PJ	B	A	Pts	Pun	PJ	B	A	Pts	Pun
1909-1910	12	10	—	10	5	—	—	—	—	—
1910-1911	16	19	—	19	22	—	—	—	—	—
1911-1912	18	27	—	27	40	—	—	—	—	—
1912-1913	17	24	—	24	80	—	—	—	—	—
1914-1915	20	30	4	34	15	—	—	—	—	—
1915-1916 🏆	24	24	15	39	42	5	4	—	4	18
1916-1917	21	21	6	27	50	6	7	—	7	32
1917-1918	20	17	—	17	29	2	0	1	1	13
1918-1919	17	14	5	19	12	10	2	6	8	3
1919-1920	22	14	12	26	6	—	—	—	—	—
1920-1921	23	16	5	21	25	—	—	—	—	—
1921-1922	23	2	4	6	12	—	—	—	—	—
1922-1923	22	1	2	3	0	2	0	0	0	0
TOTAUX LNH	127	64	28	92	84	14	2	7	9	16

* 1909-1917=ANH

LES CANADIENS, VOTRE HONNEUR!

Didier Pitre était le joueur le plus convoité en décembre 1909 alors qu'il se trouvait au sommet de son art. En direction vers la gare en route vers Montréal, il a été poursuivi par le gérant Jack Laviolette des Canadiens et des représentants des Nationaux de Montréal de la Ligue fédérale de hockey amateur. Les Nationaux ont été les premiers sur place et ils ont fait signer une entente à Pitre sur place pour 1100 $. Puis, Laviolette est arrivé et Pitre a signé un autre contrat, cette fois pour 1700 $! La situation s'est retrouvée devant les tribunaux et le juge a indiqué à Pitre qu'il devait choisir une des deux équipes. Pitre a opté pour les Canadiens, une nouvelle équipe qui n'avait pas encore disputé de match. Le soir du match inaugural, le 5 janvier 1910, Pitre était non seulement dans l'alignement, il a aussi marqué le but gagnant dans une victoire de 7 à 6 en prolongation sur les Silver Kings de Cobalt à l'Aréna Jubilee.

Léo Dandurand
Bâtisseur

Dandurand a acheté les Canadiens avec Joe Cattarinich et Louis Létourneau et a rapidement transformé le Tricolore en puissance offensive redoutable, surnommée les Flying Frenchmen.

Léo Dandurand est arrivé à Montréal en 1905 pour étudier au Collège Sainte-Marie. Athlète accompli, il pratiquait le hockey, le baseball et la crosse et a maintenu un intérêt pour l'administration du sport bien après que ses talents d'athlètes se soient évaporés.

En 1909, Dandurand s'est engagé dans le marché de l'immobilier pour ensuite bifurquer vers l'industrie du tabac. En 1913, aux côtés de son ami et partenaire Joe Cattarinich, il est devenu promoteur de la piste de course de Kempton Park à La Prairie.

Le 4 décembre 1914, Dandurand a représenté le Club St-Jacques, une équipe de hockey de Montréal qu'il a fondé, à une réunion à Ottawa qui a mené à la fondation de l'Association canadienne de hockey amateur. L'ACHA est devenu l'organisme de régie de tout le hockey amateur au Canada et Dandurand y a rapidement fait sa marque. Il a initié un règlement qui interdisait que plus de deux pénalités soient décernées simultanément, éradiquant ainsi les situations communes où des pénalités multiples limitaient le nombre de joueurs sur la patinoire à deux par équipe.

Léo Dandurand a réalisé son plus grand coup quand il a acquis les Canadiens aux côtés de Cattarinich. Si ce dernier était reconnu comme

Dandurand (quatrième de la gauche avec le chapeau) ne se limitait pas seulement à son rôle de propriétaire, il était aussi un fervent partisan du hockey et des Canadiens.

INTRONISÉ EN 1963

le plus tranquille des deux, c'est que Dandurand était un promoteur bruyant prêt à mettre son nom, son visage et sa voix dans toutes les situations qui contribuaient à ses intérêts. À cette fin, il est devenu entraîneur et directeur général des Canadiens, et pendant les cinq années de son règne, l'équipe est passée de l'infortune aux succès retentissants.

Dandurand embauchait seulement des joueurs qui pouvaient patiner et marquer, des gars qui soulevaient la foule et capables de conduire le Tricolore à la victoire. Les Canadiens ont été surnommés les « Flying Frenchmen » et ils ont remporté la coupe Stanley en 1924 en balayant Vancouver et Calgary en séries éliminatoires.

Dandurand et Cattarinich étaient à une époque propriétaires de 17

En plus de posséder le Tricolore, Dandurand était un homme d'affaires accompli qui a plus tard été propriétaire des Alouettes de Montréal.

pistes de course à chevaux aux quatre coins de l'Amérique et Dandurand a accru son influence dans l'histoire sportive montréalaise en fondant le club de football les Alouettes de Montréal en 1946. L'équipe a remporté la coupe Grey en 1949.

LÉO DANDURAND

n. Bourbonnais, Illinois, 9 juillet 1889
d. Montréal, Québec, 26 juin 1964

ACHAT COMPLIQUÉ

La vente des Canadiens n'a pas été aussi directe que l'histoire le démontre. Après le décès du propriétaire George Kennedy à la fin de 1921, sa veuve a mis le club en vente et trois parties intéressées se sont présentées. Frank Calder, président de la LNH, menait un groupe d'Ottawa. Tom Duggan était à la tête du groupe de propriétaire de l'Aréna Mont-Royal, puis le troisième groupe était celui de Léo Dandurand, Joe Cattarinich et Léo Letourneau. La journée quand Madame Kennedy a rencontré les groupes, Dandurand et ses amis étaient à la piste de course de Cleveland et devaient être représentés par Cecil Hart. Duggan est entré dans le bureau et a laissé tomber des billets de mille dollars sur la table, annonçant qu'il s'agissait là de son offre. Hart a quitté la salle, il a téléphoné à Cleveland et est revenu avec une offre de 11 000 $. Duggan a refusé d'ouvrir les enchères, il est sorti de la salle d'un pas lourd et laissa la propriété du club à Dandurand, Cattarinich et Létourneau.

Tommy Gorman
Bâtisseur

Même si Tommy Gorman a été directeur général des Canadiens de Montréal seulement six ans, ce qu'il a accompli demeure une contribution remarquable à l'histoire du club.

Les Canadiens n'avaient pas remporté la coupe Stanley en neuf ans à l'aube des années 1940, ni même pris part à une seule finale. La guerre faisait rage et des joueurs de toutes les équipes étaient en Europe pour participer à l'effort militaire. Gorman a toutefois assemblé une équipe qui a remporté la coupe dès sa quatrième saison.

L'alignement de 1943-1944 comprenait Toe Blake, Maurice Richard, Elmer Lach et Bill Durnan, dirigés par Dick Irvin. Tous sauf Blake sont arrivés à Montréal par l'intervention de Gorman. Deux ans plus tard, l'équipe remportait un autre titre.

Gorman était non seulement un génie du recrutement, il savait comment soutirer le maximum de ses joueurs. Promoteur infatigable des Canadiens, qu'il qualifiait de « meilleure équipe au monde », il affichait une attitude de défi qui cachait bien sa médiocre position de départ. Quand il a cédé sa place en 1946, nul ne pouvait le contredire. Reconnu pour son humour et sa capacité de traiter avec les médias

Gorman a combiné un sens aiguisé des affaires à un génie pour le hockey, alignant une formation d'étoiles et remplissant les gradins du Forum.

Gorman a entrepris sa carrière dans la LNH à Ottawa, avant d'évoluer avec les Americans de New York, puis à Chicago avant de se retrouver à Montréal avec les Maroons, puis les Canadiens.

francophones, sa maîtrise de la langue de Molière dépassait rarement un simple « oui » ou « non ». Non seulement a-t-il transformé une équipe qui n'atteignait pas les séries en formation championne, mais il a su remplir des estrades à moitié vides pour plus tard présenter tous les matchs à guichets fermés.

L'embauche de Gorman était une sage décision par les Canadiens. Il a fait son entrée dans le monde du travail à l'âge de neuf ans comme chasseur à la Chambre des Communes, en 1895. Il est plus tard devenu journaliste à Ottawa pour s'élever au rang de rédacteur au *Citizen*. En 1917, il avait amassé assez d'argent pour devenir copropriétaire des Sénateurs

d'Ottawa et il a été un des fondateurs de la Ligue nationale de hockey. Les succès de Gorman ont été immédiats. Les Sénateurs ont remporté la coupe Stanley trois fois en quatre ans (1920, 1921 et 1923), avant qu'il vende ses parts en 1925 pour démarrer les Americans de New York. Gorman a plus tard mené Chicago à la coupe Stanley (1934), puis les Maroons de Montréal à leur dernière conquête en 1935.

Le succès a suivi Gorman toute sa vie, tant au hockey qu'à la piste de course, son autre grande passion. Il a plus tard remporté la coupe Allan à Ottawa, mais son talent à promouvoir le hockey, les équipes et les joueurs a fait de lui un être spécial pour les Canadiens et la LNH.

Gorman a orchestré six conquêtes de la coupe Stanley, ses deux dernières avec les Canadiens en 1944 et 1946.

TOMMY GORMAN

n. Ottawa, Ontario, 9 juin 1886
d. Ottawa, Ontario, 15 mai 1961

L'OR OLYMPIQUE

Même si Gorman a remporté la coupe Stanley six fois, une de ses grandes réalisations est survenue en 1908, alors qu'il était membre de l'équipe canadienne de crosse qui a remporté l'or olympique aux Jeux de Londres. Gorman a reçu sa médaille des mains du prince de Galles, qui devint plus tard le roi George V. L'année suivante, Gorman a été recruté par les Capitals de Regina, qui tentaient d'arracher la Coupe Minto aux Salmon Bellies de New Westminster. Malheureusement, Gorman et compagnie ont failli à la tâche et notre homme s'est lancé en journalisme.

Bill Durnan

Gardien 1943-1944 à 1949-1950

Durnan s'éloigne de son but pour atteindre la rondelle avant un attaquant des Leafs, un geste fort commun à l'époque des six clubs originaux.

CANADIENS EN CHIFFRES BILL DURNAN

n. Toronto, Ontario, 22 janvier 1916 | d. Toronto, Ontario, 31 octobre 1972
6' | 190 lbs | gardien | attrape de la droite

	SAISON RÉGULIÈRE						SÉRIES ÉLIMINATOIRES					
	PJ	V-D-N	Mins	BC	BL	MOY	PJ	V-D-N	Mins	BC	BL	MOY
1943-1944	50	38-5-7	3 000	109	2	2,18	9	8-1	549	14	1	1,53
1944-1945	50	38-8-4	3 000	121	1	2,42	6	2-4	373	15	0	2,41
1945-1946	40	24-11-5	2 400	104	4	2,60	9	8-1	581	20	0	2,07
1946-1947	60	34-16-10	3 600	138	4	2,30	11	6-5	720	23	1	1,92
1947-1948	59	20-28-10	3 505	162	5	2,77	—	—	—	—	—	—
1948-1949	60	28-23-9	3 600	126	10	2,10	7	3-4	468	17	0	2,18
1949-1950	64	26-21-17	3 840	141	8	2,20	3	0-3	180	10	0	3,33
TOTAUX	383	208-112-62	22 945	901	34	2,36	45	27-18	2 871	99	2	2,07

Durnan profite d'une conversation avec Maurice Richard après l'entraînement.

Durnan discute avec Toe Blake dans le vestiaire.

Ce n'est pas la longueur de la carrière de Bill Durnan qui la rend remarquable, mais plutôt le succès régulier qui a pavé son entrée au Temple de la renommée du hockey. Durnam n'a disputé que 383 matchs de saison régulière dans la LNH – tous avec les Canadiens – au cours de sept saisons (1943 à 1950), où il a remporté le trophée Vézina à six occasions et a mené son équipe à deux coupes Stanley (1944 et 1946).

Durnan a joué son premier match dans la LNH à 27 ans en raison d'une blessure à un genou subie à l'âge de 16 ans et d'une récupération difficile qui l'a empêché d'entreprendre sa carrière beaucoup plus tôt avec les Maple Leafs dans sa ville natale. Les Leafs ont cessé de l'attendre et Durnan s'est retrouvé avec les Blue Devils de Kirkland Lake (1936-1940). Il s'était amené dans le Nord de l'Ontario pour jouer à la balle-molle (il était un lanceur hors pair) son autre grande passion, mais l'hiver venu, il défendait la cage des Blue Devils qui alignaient une

Durnan garde l'oeil sur la rondelle qui a quitté la glace. Ambidextre, il tenait son bâton de la main gauche, mais il le passait régulièrement à sa droite quand la rondelle passait d'un côté à l'autre de son filet.

Bill Durnan

Gardien 1943-1944 à 1949-1950

Durnan envoie la rondelle sur le côté de son but. Les deux grosses ampoules au bas de l'image sont les lumières du but qui étaient liées au-dessus de la cage du juge de but derrière le filet.

excellente formation au sein de l'Association de hockey du Nord de l'Ontario. Au cours de la dernière année du passage de Durnan, l'équipe a remporté la coupe Allan en battant les Stampeders de Calgary.

Ce championnat lui a valu un poste chez les Royaux de Montréal de la Ligue senior du Québec et de là, les Canadiens ont hérité de ses talents. Len Peto l'a amené chez

les Royaux et il a profité de son poste au sein de la direction des Canadiens pour le faire passer à la LNH. La saison recrue de Durnan a certes été extraordinaire, mais sa réalité au quotidien était tout autre. Durnan volait le poste du populaire Paul Bibeault et dès qu'il accordait un but à domicile, la foule du Forum scandait le nom du gardien francophone en dérision. Ces railleries n'ont jamais cessé, même après plusieurs saisons avec l'équipe, entraînant un stress et des attentes qui expliquent en partie pourquoi la carrière de Durnan a été aussi courte.

Quand Durnan s'est joint aux Canadiens à l'automne de 1943, la « Punch Line » (Maurice Richard, Toe Blake et Elmer Lach) faisait la pluie et le beau temps, mais c'était le brio de Durnan qui faisait la différence en séries. Le Tricolore a battu les Leafs en demi-finale pour ensuite balayer les Black Hawks en quatre matchs et remporter la coupe Stanley. Durnan n'avait accordé que 14 buts en neuf matchs en cours de route et il a stoppé Virgil Johnson sur un tir de pénalité dans un match de la finale, le premier de la finale de la coupe dans l'histoire des Canadiens.

Durnan a mené la LNH pour le nombre de victoires à quatre occasions et quatre fois il a disputé tous les matchs des Canadiens. Il créditait une grande partie de ses succès à sa capacité d'attraper la rondelle des deux côtés. Durnan utilisait ce qui ressemblait à deux gros gants de cuisine et il arrivait à passer son bâton d'une main à l'autre selon le côté où se trouvait la rondelle. Ainsi, il profitait toujours du meilleur angle contre le joueur et il était toujours en position parfaite. En mars 1949, il a blanchi l'adversaire pendant 309:21 minutes, réussissant quatre jeux blancs consécutifs pour établir une marque qui est demeurée pendant plus d'un demi-siècle. On se souvient aussi de Durnan comme le dernier gardien à être capitaine d'une équipe, un honneur qu'il a partagé avec Toe Blake en 1947-1948.

Adversaires redoutables sur la glace, Durnan et Turk Broda de Toronto se serrent la main après une série mémorable en 1948.

DEUX MAINS VALENT MIEUX QU'UNE

Durnan doit ses aptitudes ambidextres à Steve Faulkner, qui dirigeait Durnan dans une ligue d'églises à Toronto et l'a convaincu de déplacer son bâton comme il déplaçait son corps. Faulkner a enseigné à Durnan comment faire passer son bâton d'une main à l'autre. Ce n'était pas facile au départ parce que le garçon était si jeune et le bâton si lourd, mais Faulkner n'a pas lâché prise et le bâton devenait plus léger et pouvait être changé de côté avec moins d'effort. Malgré la difficulté à apprendre cette technique, Durnan a rapidement constaté l'avantage. Un gardien peut déplacer sa main beaucoup plus vite que son corps. Ainsi, quand un gardien peut utiliser ses deux mains, il peut toujours avoir la main ouverte pour protéger le côté éloigné du filet.

Albert « Babe » Siebert

Attaquant/Défenseur 1936-1937 à 1938-1939

Peu de joueurs dans l'histoire des Canadiens ont obtenu un impact immédiat comme l'a fait « Babe » Siebert si tard dans sa carrière. Le joueur de 32 ans était dans la ligue depuis 11 ans et il avait remporté deux fois la coupe Stanley, d'abord à titre de recrue avec les Maroons en 1926, ensuite avec les Rangers, sept ans plus tard.

Siebert est arrivé à Montréal un peu plus lent qu'à ses années de gloire. Pour mieux s'adapter, il s'est transformé d'ailier à défenseur pour ainsi prolonger sa carrière de plusieurs saisons. Avec les Maroons, il jouait au sein de la fameuse «S-Line» avec Hooley Smith et Nels Stewart, mais à Boston, il formait un duo avec Eddie Shore à la ligne bleue et il est devenu un défenseur étoile.

En 1936, Cecil Hart est retourné derrière le banc des Canadiens. Il avait uniquement deux transactions en tête, rapatrier Howie Morenz et acquérir « Babe » Siebert. Il a réalisé ses deux objectifs et les résultats furent immédiats. Siebert a remporté le trophée Hart à sa première saison avec le Tricolore et l'équipe a connu un parcours intéressant en séries. Siebert a joué deux autres saisons avant de prendre sa retraite. Une fois ses patins accrochés, il a accepté le poste d'entraîneur pour la saison 1939-1940, mais avant même son premier match dans ses nouvelles fonctions, une tragédie est survenue.

Lors des vacances estivales, Siebert s'est noyé alors qu'il nageait vers ses filles Judie et Joan, qui venaient de perdre le contrôle d'un tube gonflable. Sa mort était encore plus

(ci-dessous) Programme-souvenir du match disputé en l'honneur de Siebert; (à droite) le contrat de Siebert avec les Canadiens pour la saison 1928-1929.

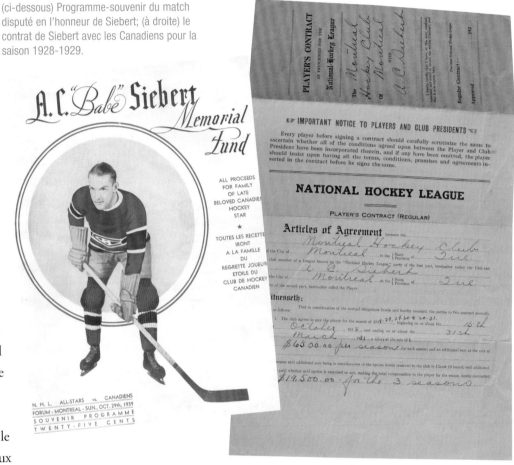

CANADIENS EN CHIFFRES
ALBERT « Babe » SIEBERT

n. Plattsville, Ontario, 14 janvier 1904   d. St. Joseph, Ontario, 25 août 1939
5'10"   182 lbs   attaquant/défenseur   lance de la gauche

	SAISON RÉGULIÈRE					SÉRIES ÉLIMINATOIRES				
	PJ	B	A	Pts	Pun	PJ	B	A	Pts	Pun
1936-1937	44	8	20	28	38	5	1	2	3	2
1937-1938	37	8	11	19	56	3	1	1	2	0
1938-1939	44	9	7	16	36	3	0	0	0	0
TOTAUX	125	25	38	63	130	11	2	3	5	2

pénible pour sa femme. Depuis plusieurs années, elle était invalide, ne pouvant marcher d'elle-même, mais elle n'avait jamais manqué un match à domicile. Babe était reconnu pour la transporter à son siège près de la surface de jeu avant chacun des matchs. Après le match, il revenait la prendre dans ses bras pour la reconduire à la voiture où ils retournaient ensemble à la maison.

Non seulement était-il un grand joueur de hockey, Siebert était aussi un grand homme, un mari dévoué pour sa femme invalide et un père affectueux pour ses enfants.

Les infirmières, les soins médicaux et les factures d'hôpitaux prenaient une grande partie des revenus de Siebert, mais il ne s'en est jamais plaint. Il a continué à jouer avec une détermination qui inspirait sa femme. Son amie de cœur représentait, à son tour, une source d'inspiration pour Siebert. Ses coéquipiers étaient également été dévastés.

UN HOMME DISPARU

Babe Siebert était tellement respecté par les joueurs à travers la ligue tant à l'extérieur que sur la glace, qu'ils se sont regroupés pour organiser un match d'étoiles afin d'amasser des fonds pour sa veuve. Le match a eu lieu au Forum de Montréal le 29 octobre 1939 et ils ont amassé 15 000 $ pour Berne Siebert et ses enfants. Les Canadiens affrontaient une équipe d'étoiles composée de futurs membres du Temple de la renommée. Eddie Shore, Frank Brimsek et Bobby Bauer de Boston, Syl Apps de Toronto, Syd Howe et Eddie Goodfellow de Détroit ainsi que Neil Couville et Art Coulter des Rangers étaient de la partie. L'équipe d'étoiles l'avait emporté 5-2 devant une foule de 6 000 personnes. Apps avait été la grande vedette du match avec un but et trois passes. René Trudel et le nouveau venu Earl Robinson avaient marqué les buts des Canadiens. En mémoire du défunt hockeyeur, le journaliste Elmer Ferguson du Montreal Star avait simplifié la perte de Siebert en écrivant qu'un homme venait de disparaître.

Hector « Toe » Blake

Ailier gauche 1934-1935 à 1947-1948

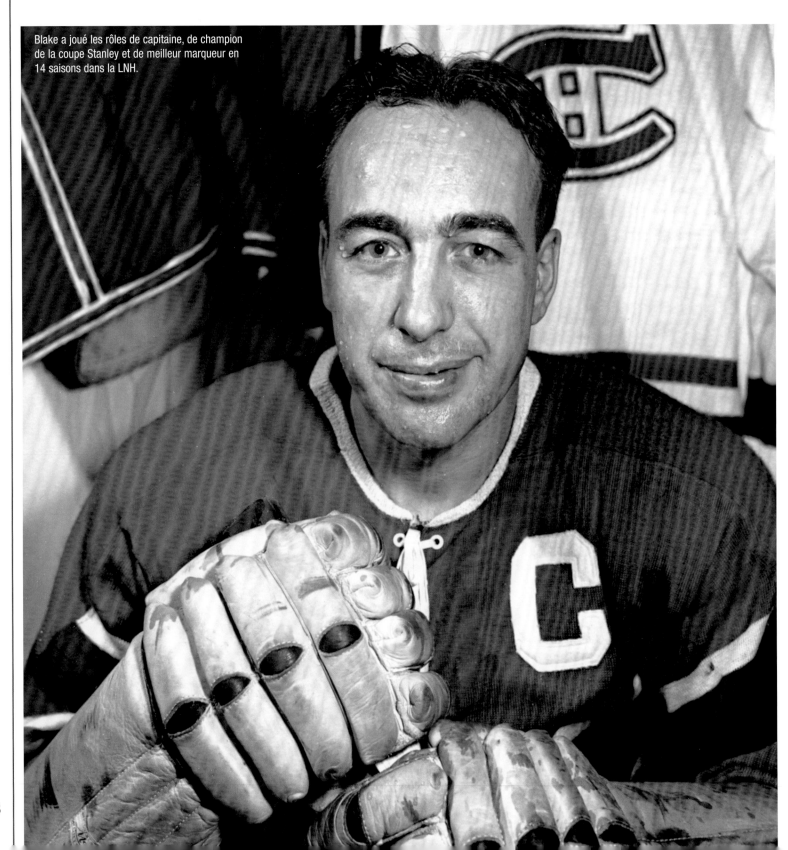

Blake a joué les rôles de capitaine, de champion de la coupe Stanley et de meilleur marqueur en 14 saisons dans la LNH.

Personne n'a connu une carrière combinée de joueur et d'entraîneur aussi prolifique que Toe Blake. Intronisé au Temple de la renommée du hockey comme joueur, il aurait pu y refaire une entrée plus tard comme bâtisseur. Les huit coupes Stanley qu'il a remportées derrière le banc du Tricolore en sont témoins.

L'origine de son célèbre surnom? Garçon, sa soeur cadette prononçait son nom « Hectoe ».

Blake a lancé sa carrière en 1932 en remportant la coupe Memorial avec les Wolves de Sudbury. Il a ensuite échappé aux années sombres de la Dépression après avoir accepté l'offre des Tigers de Hamilton dans les rangs seniors.

Ce sont les Maroons de Montréal qui l'ont d'abord fait venir dans la LNH et il a disputé quelques matchs avec ce club en 1934-1935 quand ces derniers ont remporté leur dernière coupe Stanley. Cependant, les Maroons avaient grand besoin d'un gardien et Blake a été échangé aux Canadiens avec Ken Gravel et Bill Miller en retour de Lorne Chabot.

Ailier gauche au tempérament fougueux, Blake a appris sous l'entraîneur Cecil Hart à canaliser son caractère bouillant à des fins bénéfiques. Plus Blake se tenait à l'écart du banc de punition, plus efficace il devenait. Il a été meilleur pointeur de la ligue en 1938-1939 avec 38 buts et 47 points, remportant aussi le trophée Hart. Rapidement, les journalistes ont fait grand état de ses exploits offensifs. Un an plus tard, Blake a succédé à Walt Buswell comme capitaine, rôle qu'il a assuré jusqu'à sa retraite.

Au début des années 1940, Blake a redonné un souffle à sa carrière en évoluant aux côtés des jeunes Maurice Richard et Elmer Lach. L'entraîneur Dick Irvin a utilisé la « Punch Line » à fond et ce trio est devenu le plus productif de la LNH. De 1942 à 1947, Blake a inscrit 26 buts et 57 points en moyenne par année et l'équipe a remporté deux coupes Stanley, marquant le filet décisif en finale à chaque occasion. Il a été nommé trois fois au sein

Hector « Toe » Blake

Ailier gauche 1934-1935 à 1947-1948

Blake (à droite) parle à son compagnon de trio Maurice Richard,
qui n'avait rien perdu de son intensité après un match.

de l'équipe d'étoiles de la ligue. En 1944-1945, Lach, Richard et Blake ont été les trois meilleurs marqueurs de la ligue, fait rare même à l'époque des six clubs originaux. Coéquipiers et adversaires ont été renversés d'apprendre que Blake a remporté le trophée Lady-Byng au terme de la campagne 1945-1946, signe d'une transformation totale de son caractère.

Avant le début de la saison 1947-1948, Blake sentait que son parcours comme athlète tirait à sa fin. Il a entamé le calendrier avec une seule idée en tête, celle d'abaisser le record de points en carrière de Bill Cowley des Bruins de Boston, qui s'était retiré à l'été 1947 avec 548 points. Blake ne tirait de l'arrière que par 45 points et tout portait à croire qu'il y arriverait

bien avant la fin de la saison si tout allait pour le mieux.

Comme prévu, Blake a connu une excellente saison, mais le 11 janvier 1948 dans un match contre les Rangers, il a subi une fracture à la cheville qui a abruptement mis fin à sa carrière. La saison suivante, il a eu l'occasion de diriger l'équipe de Buffalo dans la Ligue américaine et il a abandonné son rêve de devenir le meilleur marqueur de l'histoire de la LNH au profit de sa carrière derrière le banc.

À cette première saison à Buffalo, Blake a joué les rôles de joueur et entraîneur. L'automne précédent, il était à la barre de l'équipe de Valleyfield du circuit senior québécois qui mettait en vedette Jean Béliveau et les As de Québec. Blake a appris les trucs du métier pendant presque quatre ans dans cette ligue, puis le poste ultime s'est soudainement ouvert à lui en 1955.

Après 15 saisons à la barre des Canadiens, Dick Irvin quittait le club pour accepter le même poste à Chicago. Le directeur général Frank Selke a offert l'emploi à Blake croyant qu'il serait le seul capable de contrôler Maurice Richard. Les deux avaient été coéquipiers de longue date et si le nouvel entraîneur n'arrivait pas à diriger le joueur étoile, personne d'autre ne le pourrait.

Cette embauche avait tout de l'éclair de génie et le travail de Blake a rapporté sa part de succès. Il savait exactement comment traiter avec le « Rocket », tout en dirigeant avec brio le reste de cette équipe de joueurs étoiles. Blake a mené les Canadiens à la conquête de la coupe Stanley à sa première saison derrière le banc, mais ce n'était pas tout. L'équipe a remporté cinq coupes consécutives (1955-1960) et est devenue la plus puissante dynastie du hockey.

CANADIENS EN CHIFFRES
HECTOR « Toe » BLAKE

n. Victoria Mines, Ontario, 21 août 1912   **d.** Montréal, Québec, 17 mai 1995
5'10"   165 lbs   ailier gauche   lance de la gauche

| | SAISON RÉGULIÈRE | | | | | SÉRIES ÉLIMINATOIRES | | | | |
	PJ	B	A	Pts	Pun	PJ	B	A	Pts	Pun
1934-35	8	0	0	0	0	1	0	0	0	0
1935-36	11	1	2	3	28	—	—	—	—	—
1936-37	43	10	12	22	12	5	1	0	1	0
1937-38	43	17	16	33	33	3	3	1	4	2
1938-39	48	24	23	47	10	3	1	1	2	2
1939-40	48	17	19	36	48	—	—	—	—	—
1940-41	48	12	20	32	49	3	0	3	3	5
1941-42	48	17	28	45	19	3	0	3	3	2
1942-43	48	23	36	59	26	5	4	3	7	0
1943-44 🏆	41	26	33	59	10	9	7	11	18	2
1944-45	49	29	38	67	25	6	0	2	2	5
1945-46 🏆	50	29	21	50	2	9	7	6	13	5
1946-47	60	21	29	50	6	11	2	7	9	0
1947-48	32	9	15	24	4	—	—	—	—	—
TOTAUX	577	235	292	527	272	57	25	37	62	23

Hector « Toe » Blake

Ailier gauche 1934-1935 à 1947-1948

L'entraîneur Blake regarde l'action derrière le banc, coiffé de son inséparable feutre.

ÉPOUX ATTENTIF

L'esprit de compétition de Toe Blake ne peut être remis en question, mais sa vie privée représentait un défi encore plus important pour l'homme. Son épouse Betty était aussi vigoureuse qu'il pouvait l'être. Ils s'étaient mariés en 1934 après avoir été présentés l'un à l'autre par Max Bennett, un coéquipier chez les Tigers de Hamilton. Betty a accompagné Toe tout au long de sa carrière, mais au cours de la saison 1967-1968, elle est devenue très malade. Après la victoire de la coupe en mai 1968, Blake a rapidement pris congé de l'équipe pour rejoindre son épouse à l'hôpital. Cela fut un des facteurs qui l'ont conduit à se retirer cette année-là. Trois ans plus tard, Betty s'est éteinte.

Blake (au centre) portrait son feutre partout où il allait.

Blake est demeuré derrière le banc 13 saisons, remportant huit coupes Stanley. Ses équipes ont amassé une incroyable fiche de 500-255-159, tandis qu'en séries éliminatoires le Tricolore a affiché un dossier de 82-37 sous sa direction. La capacité remarquable de Blake à encadrer une équipe aussi pleine de talent a été ce qui l'a distingué, tout comme sa méthode éprouvée de former ses joueurs en douceur.

Blake était reconnu pour son calme derrière le banc. Debout bien droit et coiffé d'un chapeau de feutre qui a fait son image de marque, il a organisé le club comme un chef d'orchestre dirige ses musiciens. Il était toutefois loin d'être l'entraîneur le plus populaire, reconnu comme un véritable bourreau de travail et poussant même les plus grands joueurs à en donner toujours un peu plus. Personne ne l'aimait trop en saison régulière, mais personne ne se plaignait des fêtes qu'il donnait en l'honneur de la dernière coupe Stanley remportée presque chaque année, à la Taverne Blake's, un pub de Montréal dont il était le propriétaire.

Au moment d'annoncer sa retraite en 1968, Blake avait remporté trois coupes Stanley comme joueur et huit autres comme entraîneur. Il s'était retiré au deuxième rang des marqueurs de tous les temps et il détenait le record pour le plus grand nombre de victoires et de championnats derrière le banc. En vérité, il n'existe aucun autre géant du hockey à qui Toe Blake pourrait être comparé.

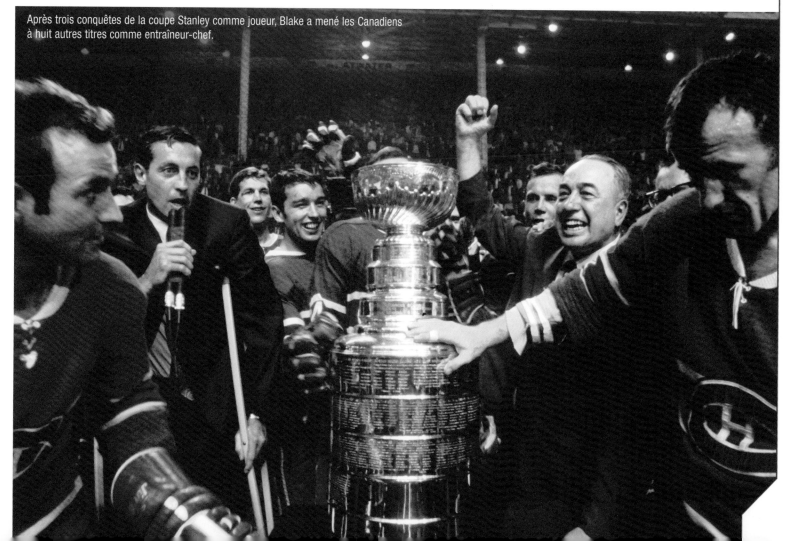

Après trois conquêtes de la coupe Stanley comme joueur, Blake a mené les Canadiens à huit autres titres comme entraîneur-chef.

Le capitaine Jean Béliveau, l'entraîneur Toe Blake (derrière) et tous les joueurs réunis autour de la coupe Stanley et du trophée Conn-Smythe.

L'entraîneur Toe Blake était un maître de la motivation, qui savait comment obtenir le maximum de ses joueurs et qui comprenait l'importance des tactiques pour l'emporter.

Émile « Butch » Bouchard

Le souriant Bouchard sur cette photo présente un énorme contraste avec son regard intense pendant les matchs.

Il est impossible de comparer le contexte dans lequel Émile Bouchard évoluait à la réalité d'aujourd'hui. Bouchard a commencé à patiner à 16 ans, âge auquel les espoirs professionnels de nos jours comptent sur un agent et des commanditaires. Malgré tout, quatre ans après avoir donné ses premiers coups de patin, Bouchard portait l'uniforme des Canadiens. La détermination et les circonstances l'ont conduit à ce point.

Après une enfance vécue dans la pauvreté, Bouchard devait louer des patins chaque fois qu'il voulait jouer au hockey. Il a comblé ce manque d'argent et son départ tardif par une ténacité sans égal. Adolescent de format géant, il soulevait des poids et se maintenait dans une forme impeccable à longueur d'année. Pour pallier à sa situation financière difficile, il a mis sur pied une ferme apicole et vendait du miel par milliers de tonnes, ce qui lui a permis de subvenir à ses besoins à et ceux de sa famille.

Jugé irremplaçable par le gouvernement, son travail d'apiculteur l'a disqualifié pour le service militaire en temps de guerre. C'est alors qu'il jouait au hockey à Verdun en soirée, là où les Canadiens l'ont découvert.

CANADIENS EN CHIFFRES
ÉMILE « Butch » BOUCHARD

n. Montréal, Québec, 11 septembre 1920
6'2"   205 lbs   défenseur   lance de la droite

	SAISON RÉGULIÈRE					SÉRIES ÉLIMINATOIRES				
	PJ	B	A	Pts	Pun	PJ	B	A	Pts	Pun
1941-1942	44	0	6	6	38	3	1	1	2	0
1942-1943	45	2	16	18	47	5	0	1	1	4
1943-1944	39	5	14	19	52	9	1	3	4	4
1944-1945	50	11	23	34	34	6	3	4	7	4
1945-1946	45	7	10	17	52	9	2	1	3	17
1946-1947	60	5	7	12	60	11	0	3	3	21
1947-1948	60	4	6	10	78	—	—	—	—	—
1948-1949	27	3	3	6	42	7	0	0	0	6
1949-1950	69	1	7	8	88	5	0	2	2	2
1950-1951	52	3	10	13	80	11	1	1	2	2
1951-1952	60	3	9	12	45	11	0	2	2	14
1952-1953	58	2	8	10	55	12	1	1	2	6
1953-1954	70	1	10	11	89	11	2	1	3	4
1954-1955	70	2	15	17	81	12	0	1	1	37
1955-1956	36	0	0	0	22	1	0	0	0	0
TOTAUX	785	49	144	193	863	113	11	21	32	121

Le capitaine Bouchard reçoit la coupe après le cinquième match de la finale de 1953 contre Boston.

Émile « Butch » Bouchard

Défenseur 1941-1942 à 1955-1956

L'entraîneur Dick Irvin lui a fait signer un contrat pour l'assigner à Providence à mi-chemin de la saison 1940-1941, mais ce fut au camp d'entraînement suivant que Bouchard a fait grande impression.

L'entraîneur Irvin était à la recherche de sang neuf pour une équipe qui venait à peine de survivre les années 1930

et Bouchard s'avérait le candidat parfait. Il s'est présenté à son premier camp d'entraînement en très grande forme et il a multiplié les mises en échec, enrageant ses coéquipiers qui utilisaient le camp pour se remettre en forme. Bouchard s'est taillé un poste et il est demeuré à la ligne bleue des Canadiens pour les 15 saisons suivantes.

Malgré un coup de patin qui laissait à désirer, Bouchard était assez

Bouchard (à droite) discute avec Ken Reardon.

intelligent pour se spécialiser dans le jeu défensif aux côtés du rapide Doug Harvey. Bouchard utilisait aussi son gabarit et sa force et il était reconnu pour faire cesser les combats, plutôt que de les initier.

Sous la direction d'Irvin, les Canadiens établissaient la fondation de sa réputation légendaire. Au milieu des années 1940, un style de hockey palpitant brûlait les rues de Montréal. Irvin comptait sur un grand gardien en Bill Durnan, un duo exceptionnel à la ligne bleue avec Bouchard et Harvey, et un groupe de jeunes attaquants qui pillaient la ligue. La « Punch Line » composée de Maurice Richard, Elmer Lach et Toe Blake, était la plus productive de la LNH.

Bouchard a connu ses plus belles années au cours de cette

Bouchard était un des joueurs les plus robustes du hockey.

DERNIER TOUR DE PISTE

Butch Bouchard était prêt à annoncer sa retraite à l'ouverture du camp d'entraînement de la saison 1955-1956. Par contre, le nouvel entraîneur-chef, Toe Blake, coéquipier de longue date de Bouchard, a convaincu le vétéran défenseur à disputer une autre saison pour faciliter son arrivée derrière le banc. Bouchard a accepté malgré un corps qui avait de la difficulté à suivre et un mauvais genou. Blake l'a utilisé plus que les deux hommes l'en croyaient capable, mais une fois les séries éliminatoires arrivées, le réservoir était vide. Bouchard n'a pas du tout joué en demi-finale et il n'était pas en uniforme pour les quatre premiers matchs de la finale contre Détroit. En avant 3 à 1 dans la série, Blake l'a inclus dans l'alignement pour le cinquième match et après avoir passé les 59 premières minutes sur le banc, Bouchard a reçu une petite tape sur l'épaule pour aller terminer la rencontre sur la glace. Quand le capitaine est revenu au banc, il tenait la coupe Stanley dans ses bras. Ce fut là le dernier tour de piste de Butch Bouchard dans la LNH.

Émile « Butch » Bouchard
Défenseur 1941-1942 à 1955-1956

période. Il a été nommé au sein de la première équipe d'étoiles trois ans de suite (1944-1945 à 1946-1947) et il a pris part à six matchs des étoiles. Il a fait partie de quatre équipes championnes de la coupe Stanley à Montréal (1943-1944, 1945-1946, 1952-1953 et 1955-1956). Toutefois, son style de jeu a souvent eu le dessus. En 1948-1949, une blessure à la jambe l'a écarté pendant la majeure partie de la saison, mais il semblait capable de jouer malgré une douleur qui aurait envoyé la plupart à l'hôpital.

Quand Toe Blake s'est retiré en 1948, les joueurs ont élu Bouchard capitaine et il a occupé ce poste jusqu'à sa propre retraite huit saisons plus tard. Il a joué son rôle avec le même sérieux qu'il a démontré dans tout ce qu'il entreprenait. Il a pris les recrues sous son aile, inspiré les vétérans et il a été un frère ou un père pour des coéquipiers par temps difficile. Des années plus tard, Jean Béliveau a crédité Bouchard d'avoir été son modèle de capitaine à Montréal, par sa conduite sur le banc ou sur la glace jusqu'au type de vêtement à porter hors de la patinoire.

Toujours entrepreneur, Bouchard avait toujours quelque chose à faire une fois sa carrière de joueur terminée. Il avait depuis vendu sa ferme apicole et a peu de temps plus tard ouvert le restaurant « Chez Émile Bouchard » à Montréal, une adresse longtemps très populaire. C'était cette combinaison de travail et d'imagination qui l'a conduit comme athlète et ces qualités se sont étendues bien des années après.

Bouchard (complètement à droite) a gagné quatre coupes à Montréal, deux fois en début de carrière et deux fois en fin de carrière comme capitaine.

(de gauche à droite) Ken Reardon, Bill Durnan et Butch Bouchard ont remporté la coupe Stanley ensemble en 1945-1946.

Elmer Lach

Lach a disputé toute sa carrière à Montréal et il aurait été reconnu comme le meilleur joueur du circuit s'il n'avait pas évolué en même temps que Maurice Richard.

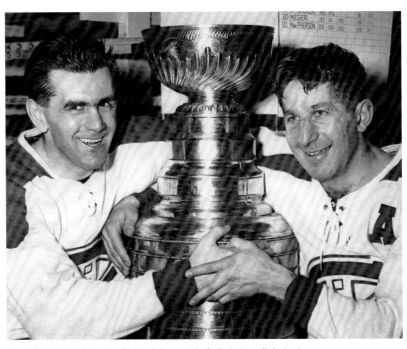

Lach (à droite) et Maurice Richard tiennent le fruit du travail de toute une saison – la coupe Stanley.

L'ailier droit Maurice Richard (à gauche), Lach (au centre) et le vétéran Toe Blake formaient la Punch Line, le trio le plus dynamique du milieu des années 1940, véritable menace à chaque présence.

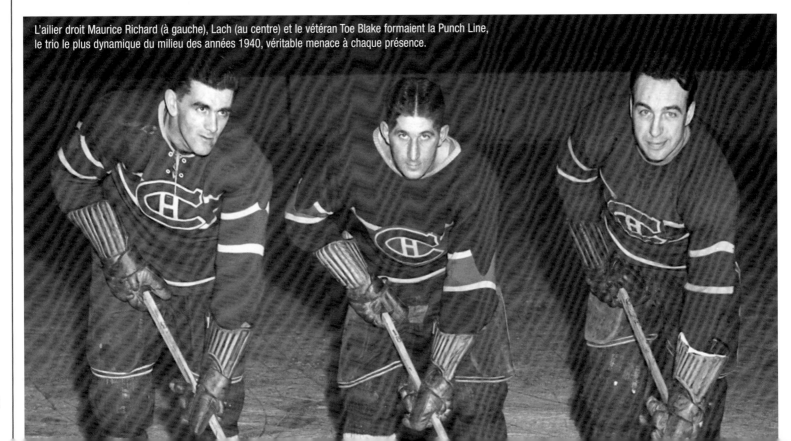

INTRONISÉ EN 1966

Il est difficile de cerner l'aspect le plus important de la carrière d'Elmer Lach. Il y a la liste incroyable de blessures qu'il a subies au cours de ses 14 saisons avec les Canadiens. Il y a aussi ses passes et sa capacité de construire le jeu. N'oublions pas qu'il était le centre ayant amassé le plus de points dans l'histoire de la LNH au moment d'annoncer sa retraite en 1954. Par ailleurs, son entraîneur Dick Irvin, le qualifiait de joueur à quatre dimensions.

Irvin affirmait que si certains joueurs excellent à l'attaque et d'autres en défensive, Lach brillait dans ces deux aspects aussi bien que sur la largeur de la patinoire. En d'autres mots, Lach était un joueur complet, un gagnant

du trophée Selke avant même que celui-ci existe. Par contre, Lach aurait été un multiple récipiendaire du trophée Masterton tant il a récupéré de nombreuses blessures.

La carrière de Lach a démarré doucement. En 1940-1941 il n'a inscrit que sept buts, et l'année suivante, sa saison a pris fin le soir du premier match. Il s'est fracturé le coude si gravement que les médecins croyaient qu'il ne pourrait plus jouer et qu'il ne retrouverait pas la pleine utilisation de son coude. Ces spécialistes avaient à moitié raison, car s'ils lisaient bien les radiographies, ils ne comprenaient pas l'esprit de Lach. Celui-ci a retrouvé seulement 60 pour cent de la capacité de mouvement de son coude, mais il a quand même marqué 18 buts la saison suivante aux côtés de Maurice Richard et de Toe Blake.

Surnommé « Punch Line », ce trio a dominé le hockey pendant plusieurs saisons. Richard était le marqueur et Blake était à la fois marqueur et fabricant de jeu. Lach pouvait mettre la rondelle dans le filet, mais sa force était d'effectuer la passe parfaite. Pour lui toutefois, ce geste allait au-delà de remettre le disque au joueur démarqué. Lach était un brillant patineur et un joueur sans crainte, ce qui lui permettait de se défaire de ses adversaires. Même quand il se faisait parfois prendre au jeu, Lach était déterminé, si bien qu'il a contribué à 159 de 384 buts de Richard, un total remarquable. De plus, Lach et Richard affichaient presque la même moyenne de points par match en carrière.

Maître sur les mises en jeu et passeur hors pair, Lach pouvait déplacer la rondelle d'un côté à l'autre de la patinoire, mais aussi d'appliquer de la pression dans les deux sens de la largeur, de là le commentaire d'Irvin. Il pouvait marquer quand il en avait l'occasion, passer la

CANADIENS EN CHIFFRES
ELMER LACH

n. Nokomis, Saskatchewan, 22 janvier 1918
5'10"   165 lbs   centre   lance de la gauche

| | SAISON RÉGULIÈRE | | | | | SÉRIES ÉLIMINATOIRES | | | | |
	PJ	B	A	Pts	Pun	PJ	B	A	Pts	Pun
1940-1941	43	7	14	21	16	3	1	0	1	0
1941-1942	1	0	1	1	0	—	—	—	—	—
1942-1943	45	18	40	58	14	5	2	4	6	6
1943-1944	48	24	48	72	23	9	2	11	13	4
1944-1945	50	26	54	80	37	6	4	4	8	2
1945-1946	50	13	34	47	34	9	5	12	17	4
1946-1947	31	14	16	30	22	—	—	—	—	—
1947-1948	60	30	31	61	72	—	—	—	—	—
1948-1949	36	11	18	29	59	0	0	0	0	4
1949-1950	64	15	33	48	33	5	1	2	3	4
1950-1951	65	21	24	45	48	11	2	2	4	2
1951-1952	70	15	50	65	36	11	1	2	3	4
1952-1953	53	16	25	41	56	12	1	6	7	6
1953-1954	48	5	20	25	28	4	0	2	2	0
TOTAUX	664	215	408	623	478	76	19	45	64	36

Elmer Lach

Centre 1940-1941 à 1953-1954

rondelle à un coéquipier libre et plus il jouait, plus il apprenait. Même s'il n'a jamais été capitaine des Canadiens, Elmer Lach a toujours fait partie des leaders de l'équipe.

En 1943-1944, il a été le cinquième meilleur marqueur de l'équipe qui a remporté la coupe en balayant Chicago en quatre matchs. L'année suivante, Lach a été le meilleur marqueur. Ironiquement, il a cumulé 26 buts et 54 passes, devançant Richard, qui avait inscrit 50 buts et 23

passes, soit l'inverse du ratio de buts et de passes. C'était la saison historique où le « Rocket » a marqué ses 50 buts en 50 matchs et tous s'accordent à dire qu'il n'y serait pas parvenu sans Lach. Bien que l'exploit de Richard a enchanté la presse, c'est Lach qui a remporté le trophée Hart en fin de campagne.

La saison suivante, Lach a été le meilleur passeur de la ligue avec 34 mentions d'aide, menant le Tricolore à un deuxième titre en trois ans, cette fois en battant Boston en cinq matchs en finale. Il a remporté son deuxième championnat des marqueurs en 1947-1948, avant la première

Prêt à tout pour remporter la victoire, Lach n'hésitait pas à se sacrifier pour réaliser un jeu.

remise du trophée Art-Ross, cette fois par un seul point devant Buddy O'Connor des Rangers. En 1951-1952, Lach a de nouveau mené le circuit avec 50 passes et en 1953 il a remporté sa troisième et dernière coupe Stanley avec le club. Il s'est retiré l'année suivante avec 623 points en 664 matchs. Seul Maurice Richard avait accumulé plus de points après le même nombre de matchs dans la LNH.

La liste des blessures subies par Elmer Lach ferait grimacer le lecteur, mais il s'en est remis à chaque fois. En plus de son coude, Lach s'est fracturé la mâchoire à deux occasions et au même endroit (sic), le crâne, l'os de la joue, un pouce et plusieurs doigts à différentes occasions. Il a eu des ligaments déchirés au genou, une grave coupure à la jambe après que le défenseur Bob Goldham lui ait accidentellement marché dessus, une vilaine fracture du nez en raison d'un bâton élevé devant son filet et on ne parle pas les nombreuses ruptures d'artères, des coupures au visage et des nombreuses visites à l'infirmerie pour recevoir des points. Au moment de sa retraite à l'âge de 36 ans, Lach n'avait plus rien à offrir sur la patinoire. Il avait tout donné aux Canadiens, tel que souligné par ses coéquipiers et contemporains, amis et adversaires. C'est là une récompense que tout joueur accepterait volontiers en quittant la LNH.

Auteur du but gagnant en prolongation, Lach est soulevé par Maurice Richard (à gauche) et Butch Bouchard après le triomphe de 1953 contre Boston.

MENEUR DE TOUS LES TEMPS

Le fait d'évoluer avec Maurice Richard et Toe Blake était superbe tant que vous n'étiez pas intéressé à la célébrité et à la gloire. Même si Elmer Lach était important pour ses compagnons de trio, on n'allait jamais parler de lui comme on le faisait à propos de Richard dont la personnalité et les statistiques étaient légendaires, ou même de Blake, dont les succès étaient sans parallèle. Lach a mis fin à sa carrière en 1954 comme le joueur de centre avec le plus grand nombre de passes et de points de l'histoire. Il a devancé Bill Cowley à ce chapitre le 23 février 1952 quand il a inscrit son 549e point et il a aussi abaissé le record de Cowley pour le nombre de passes (353) avec 408 en carrière. Bien sûr, Richard a dépassé Lach dans la colonne des points deux ans plus tard, mais cela ne diminue en rien la grandeur de Lach.

Ken Reardon

Défenseur 1940-1941 à 1949-1950

Ken Reardon était beaucoup plus que tenace, il était féroce : sa survie semblait dépendre de chaque présence et de chaque coup de patin sur la patinoire.

À l'époque des six équipes originales, la guerre opposant Ken Reardon à Cal Gardner a été vécue dans un vif esprit de compétition, parfois même teintée de haine. Ces sentiments ont perduré jusqu'à la mort des deux hommes, des décennies plus tard.

La querelle a débuté lors de la saison 1947-1948 lorsque Reardon, qui allait dédier sa vie au Tricolore, a été atteint à la bouche par le bâton élevé de Gardner des Rangers. La blessure a nécessité 14 points de suture. Les deux joueurs allaient s'affronter un peu plus tard, après que Gardner soit passé à Toronto, dans un duel marqué de coups de bâton qui a entraîné la suspension et la mise à l'amende des deux joueurs. Reardon allait jurer vengeance pour ses points de suture, ce qui lui vaudrait un rendez-vous avec le président de la ligue. Clarence Campbell a imposé alors un dépôt de 1 000 dollars de la part de Reardon, en guise de paix, un dépôt uniquement remboursable si le joueur n'allait pas au bout de ses menaces à l'endroit de Gardner.

Reardon a revu son argent. Puis, lors de la saison 1949-1950, le défenseur

CANADIENS EN CHIFFRES
KEN REARDON

n. Winnipeg, Manitoba, 1 avril, 1921   **d.** St-Sauveur, Québec, 15 mars, 2008
5'10"   180 lbs   défenseur   lance de la gauche

	SAISON RÉGULIÈRE					SÉRIES ÉLIMINATOIRES				
	PJ	B	A	Pts	Pun	PJ	B	A	Pts	Pun
1940-1941	34	2	8	10	41	3	0	0	0	4
1941-1942	41	3	12	15	93	3	0	0	0	4
1945-1946	43	5	4	9	45	9	1	1	2	4
1946-1947	52	5	17	22	84	7	1	2	3	20
1947-1948	58	7	15	22	129	—	—	—	—	—
1948-1949	46	3	13	16	103	7	0	0	0	18
1949-1950	67	1	27	28	109	2	0	2	2	12
TOTAUX	341	26	96	122	604	31	2	5	7	62

Reardon surveille le devant de son filet dans un match contre les Maple Leafs.

a servi une mise en échec au joueur des Leafs, lui brisant la mâchoire. Lorsque Reardon a pris connaissance de la blessure de son rival, il affirma que « cela n'aurait pu arriver à un meilleur homme ».

C'est de cette façon que Reardon jouait chaque soir. Comme plusieurs défenseurs à cette époque, il n'était pas un grand patineur, ne possédait pas un puissant tir et ne maniait pas très bien la rondelle, mais il était un guerrier à la ligne bleue. Il inspirait ses coéquipiers par sa façon de jouer.

L'enfance n'a pas été une période facile pour Reardon. Membre d'une famille de quatre enfants, il s'est retrouvé orphelin après le décès de ses deux parents à une année d'intervalle. Il est allé vivre chez un oncle à

Winnipeg. Jouer au hockey tout en travaillant est devenu impossible pour Ken. Il a été forcé d'abandonner son sport. Ce n'est qu'à l'âge de 17 ans que Ken a pu rejouer dans une ligue.

C'était en 1937. Deux ans plus tard, les Rangers ont inscrit son nom sur leur liste de réserve, avant de l'en enlever. Paul Haynes et les Canadiens lui ont offert un essai, et en 1940, Reardon s'est retrouvé à la ligne bleue d'une formation en reconstruction. Il a d'abord fait équipe avec Jack Portland. Puis, l'entraîneur Dick Irvin l'a réuni à Émile Bouchard. C'était une belle façon de

Ken Reardon
Défenseur 1940-1941 à 1949-1950

poursuivre son développement, mais après seulement un an, Reardon allait quitter l'équipe pour se joindre à l'armée. Cette décision allait lui faire perdre trois saisons.

Dans l'armée, Reardon s'est retrouvé d'abord basé à Ottawa. Il a pu y jouer au hockey, avec les Commandos, vainqueurs de la coupe Allan en 1943, une des meilleures formations amateures de l'histoire au Canada. Puis, affecté de l'autre côté de l'Atlantique avec la « 86th Bridge Company », il a été récompensé pour son rôle dans la construction d'un pont, sous les attaques ennemies, qui a contribué à faire avancer les troupes.

C'est en 1945 que Reardon est revenu avec les Canadiens,

comme si rien n'avait changé. Il a été choisi au sein de la deuxième équipe d'étoiles en 1946, aidant son équipe à remporter la coupe Stanley. Sa carrière s'est poursuivie quatre autres saisons; le défenseur trouvant sa place sur la première et deuxième équipe d'étoiles deux fois chacune.

Évidemment, le style robuste de Reardon lui a causé sa part de problèmes. Il n'avait qu'une seule façon de jouer, toujours à fond de train, que ce soit la première ou la dernière minute de la saison. À sa retraite en 1950, il n'avait que 29 ans, mais son corps semblait déjà bien plus âgé.

Ken Reardon a connu une carrière exceptionnelle, bien que courte. En sept saisons dans la LNH, il fut reconnu comme un des meilleurs défenseurs défensifs du circuit, et surtout, un joueur qui ne connaissait pas la peur.

LA LISTE DES BLESSURES

Même s'il n'a joué que sept saisons, Ken Reardon n'a jamais pris part à tous les matchs. Son jeu physique lui a permis d'avoir le dessus sur bien des adversaires, mais a provoqué également de nombreuses visites à l'infirmerie. Lors d'une collision mémorable avec Bill Barilko de Toronto, Reardon s'est fracturé une épaule et le péroné, le forçant à rater six semaines de la saison 1948-1949. Il a été coupé au visage et à la tête, en plus d'être victime de fractures à plusieurs occasions lors de bagarres. Des accusations d'agression ont même été portées contre lui après qu'il se soit retrouvé dans les gradins, affrontant un partisan qui l'avait enragé. Les accusations ont été cependant retirées et Reardon est revenu pour se battre lors du match suivant.

Reardon (à gauche), le gardien Bill Durnan et le défenseur Émile Bouchard éteignaient constamment les ardeurs des étoiles adverses.

La carrière de Reardon n'a duré que sept saisons dans la LNH, en partie en raison de la guerre, en partie parce qu'il a rapidement usé son corps en pratiquant un style robuste.

Tom Johnson

Patineur ordinaire à l'adolescence, Johnson a travaillé son jeu défensif pour plus tard connaître une carrière phénoménale avec les Canadiens.

Johnson regarde le gardien Jacques Plante immobiliser la rondelle.

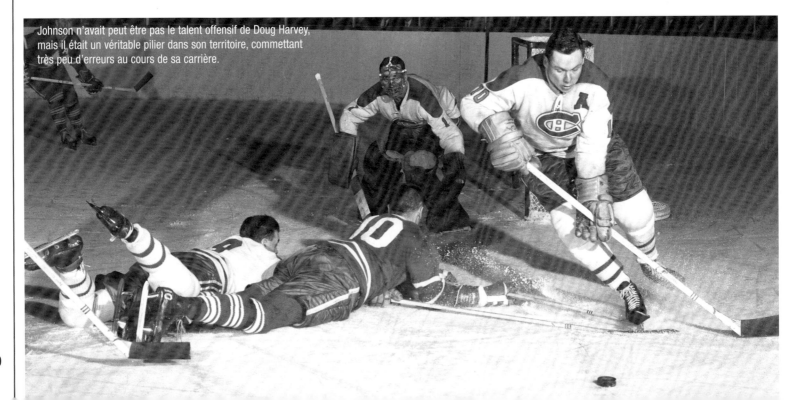

Johnson n'avait peut être pas le talent offensif de Doug Harvey, mais il était un véritable pilier dans son territoire, commettant très peu d'erreurs au cours de sa carrière.

C'est en janvier 1951, à mi-chemin dans la saison recrue de Tom Johnson, que les Canadiens de Montréal ont réalisé qu'ils alignaient un grand défenseur. Le joueur de 22 ans avait passé la majeure partie des trois dernières saisons dans les rangs mineurs et il se trouvait maintenant face au capitaine des Leafs de Toronto, Ted Kennedy avec qui il s'est battu sur la glace, au banc de punition et à nouveau sur la glace. Johnson n'avait pas l'intention d'accorder un pouce au grand capitaine torontois et il a clairement signifié à ses coéquipiers et à la direction de l'équipe qu'il était prêt à tout faire pour gagner. Il a accumulé 128 minutes de pénalité, ce qui représentait un énorme total à l'époque. Même s'il n'a pas remporté

le trophée Calder, remis au gardien Terry Sawchuk de Détroit, Johnson s'est distingué comme un des meilleurs nouveaux venus dans la LNH.

Johnson avait été convoité par les Leafs alors qu'il jouait à Winnipeg, mais le directeur général des Canadiens Frank Selke l'a invité à Montréal. Adolescent, Johnson était grand et fort, mais il avait de la difficulté à patiner. Selke l'a envoyé dans les mineures et au moment de revenir avec l'équipe en octobre 1950, Johnson était prêt pour la grande ligue.

CANADIENS EN CHIFFRES
TOM JOHNSON

n. Baldur, Manitoba, 18 février 1928   **d.** Falmouth, Massachusetts, 21 novembre 2007
6'   180 lbs   défenseur   lance de la gauche

	SAISON RÉGULIÈRE					SÉRIES ÉLIMINATOIRES				
	PJ	B	A	Pts	Pun	PJ	B	A	Pts	Pun
1947-1948	1	0	0	0	0	—	—	—	—	—
1949-1950	—	—	—	—	—	1	0	0	0	0
1950-1951	70	2	8	10	128	11	0	0	0	6
1951-1952	67	0	7	7	76	11	1	0	1	2
1952-1953 🏆	70	3	8	11	63	12	2	3	5	8
1953-1954	70	7	11	18	85	11	1	2	3	30
1954-1955	70	6	19	25	74	12	2	0	2	22
1955-1956 🏆	64	3	10	13	75	10	0	2	2	8
1956-1957 🏆	70	4	11	15	59	10	0	2	2	13
1957-1958 🏆	66	3	18	21	75	2	0	0	0	0
1958-1959 🏆	70	10	29	39	76	11	2	3	5	8
1959-1960 🏆	64	4	25	29	59	8	0	1	1	4
1960-1961	70	1	15	16	54	6	0	1	1	8
1961-1962	62	1	17	18	45	6	0	1	1	0
1962-1963	43	3	5	8	28	—	—	—	—	—
TOTAUX	857	47	183	230	897	111	8	15	23	109

Johnson brusque un adversaire devant son filet dans les règles de l'art.

Tom Johnson
Défenseur 1947-1948 à 1962-1963

Johnson met Frank Mahovlich en échec, garantissant que son gardien Jacques Plante n'ait même pas à effectuer d'arrêt sur le jeu. Johnson a remporté le trophée Norris en 1958-1959.

Johnson est aujourd'hui membre du Temple de la renommée du hockey, mais il a été sous-évalué pendant la majeure partie de sa carrière. Il vivait bien sûr dans l'ombre de Doug Harvey, un défenseur beaucoup plus flamboyant au grand talent offensif. De son côté, Johnson était un roc à la ligne bleue et ses adversaires savaient qu'il y avait peu de chance pour eux de le contourner ou de le faire mal paraître.

Johnson était reconnu pour deux choses. Il pouvait retirer la rondelle d'un attaquant qui fonçait dans son territoire sans faire contact, lui permettant de passer la rondelle et de bâtir une contre-attaque très efficacement tandis que l'adversaire s'amenait encore vers le but de Montréal.

De plus, Johnson avait développé un jeu truqué en défensive. Il permettait aux joueurs de le contourner par l'extérieur le long des bandes, puis il pivotait vers l'intérieur, patinant directement vers son filet et coupant ainsi le joueur sur sa trajectoire avant que ce dernier tire au but ou effectue une bonne passe. D'un côté, il s'agissait de la bonne façon

d'empêcher d'être battu et de l'autre, c'était un excellent moyen de maintenir l'adversaire sur l'extérieur, loin de son but.

Si Harvey était le quart-arrière du jeu de puissance, Johnson était le leader en désavantage numérique. Ironiquement, Johnson a remporté le trophée Norris qu'à une seule occasion, en 1959. Même si Johnson inscrivait trois buts et 20 points par saison en moyenne, il a marqué 10 buts et récolté 29

passes en 1958-1959. La raison était fort simple, Harvey a raté une bonne portion du calendrier à la suite d'une blessure et l'entraîneur Dick Irvin a promu Johnson sur l'attaque à cinq où il a su se faire valoir. Sa production offensive a fait en sorte que les gens autour de la ligue remarquaient son talent de plus en plus. Ce fut la seule fois en huit saisons que Harvey n'a pas remporté le Norris.

Johnson a le regard intense fixe dans le visage alors qu'il reprend son souffle au banc entre deux présences sur la patinoire.

UNE LUMIÈRE PARMI LES ÉTOILES

Tom Johnson a pris part à huit matchs des étoiles au cours de sa carrière. À son époque, les champions de la coupe Stanley affrontaient une équipe d'étoiles des autres équipes du circuit dans un match présenté en début de saison. Johnson a disputé six de ces matchs dans l'uniforme des Canadiens, mais il a aussi été invité à deux autres matchs à titre de meilleur défenseur du circuit. Bien que Doug Harvey ait eu droit aux hautes louanges, Johnson était entouré de plusieurs autres futurs membres du Temple de la renommée, notamment « Rocket » Richard, Jean Béliveau, « Boom Boom » Geoffrion et Dickie Moore. Pas surprenant alors de constater que les médias et les partisans n'avaient pas trop de temps à consacrer à un gars du nom de Johnson. Malgré tout, année après année, le voilà qui patrouillait la ligne bleue, toujours apprécié par son entraîneur et son gardien. C'est tout ce qui importait au joueur originaire de Baldur au Manitoba, qui n'avait pas joué sur une patinoire intérieure avant l'âge de 18 ans!

Jean Béliveau
Centre 1950-1951 à 1970-1971

Même s'il a porté l'uniforme du « CH » toute sa carrière, Jean Béliveau aura été l'ambassadeur du hockey. Sur la patinoire, « le Gros Bill » pouvait passer, tirer et

marquer, patiner et se replier en plus de pratiquer un style robuste. Comme capitaine, il était l'exemple type du leader; et l'homme était tout aussi exemplaire, l'idéal même du sport. Bref, Jean Béliveau est possible-

(de gauche à droite) Henri Richard, Jean Béliveau, John Ferguson et Yvan Cournoyer profitent d'une boisson gazeuse dans le vestiaire après un match.

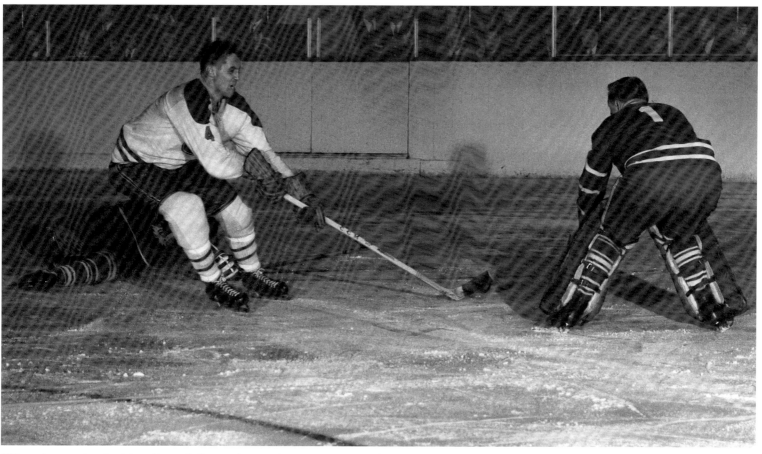

Béliveau fonce seul contre Johnny Bower de Toronto. Ces deux joueurs se sont affrontés plus de 100 fois en carrière.

ment l'athlète qui s'est le plus rapproché de la perfection.

Son amour pour le hockey a débuté très tôt. À l'âge de cinq ans, Jean a reçu de son père des patins, ce qui a alimenté une passion sur glace qui ne s'est jamais refroidie. Jean s'entraînait et jouait dès qu'il en avait l'occasion. Il était né pour devenir un joueur de hockey et destiné à la grandeur.

Jean a d'abord évolué à Victoriaville, puis à Québec, où il a commencé à réécrire l'histoire. Il a joué pour les Citadelles dans les rangs juniors de 1949 à 1951, puis il est passé avec les As de Québec dans la ligue senior. Béliveau était la coqueluche de la ville. Les amateurs de Québec se sont

épris à la fois de l'athlète et de l'homme. Meilleur marqueur du circuit junior à sa deuxième saison, il a aussi mené les buteurs et les pointeurs de la ligue senior à ses deux dernières saisons avant de passer à la LNH.

Alors que Béliveau faisait des étincelles chez les As, les Canadiens de Montréal cherchaient à s'assurer ses services. Béliveau, qui aimait Québec, ne voyait pas le besoin de changer d'adresse. De plus, il recevait un salaire équivalent à ce que les Canadiens lui offraient. Le club montréalais était propriétaire de ses droits et l'a rappelé deux fois. En 1950-1951, il a pris part à deux matchs de

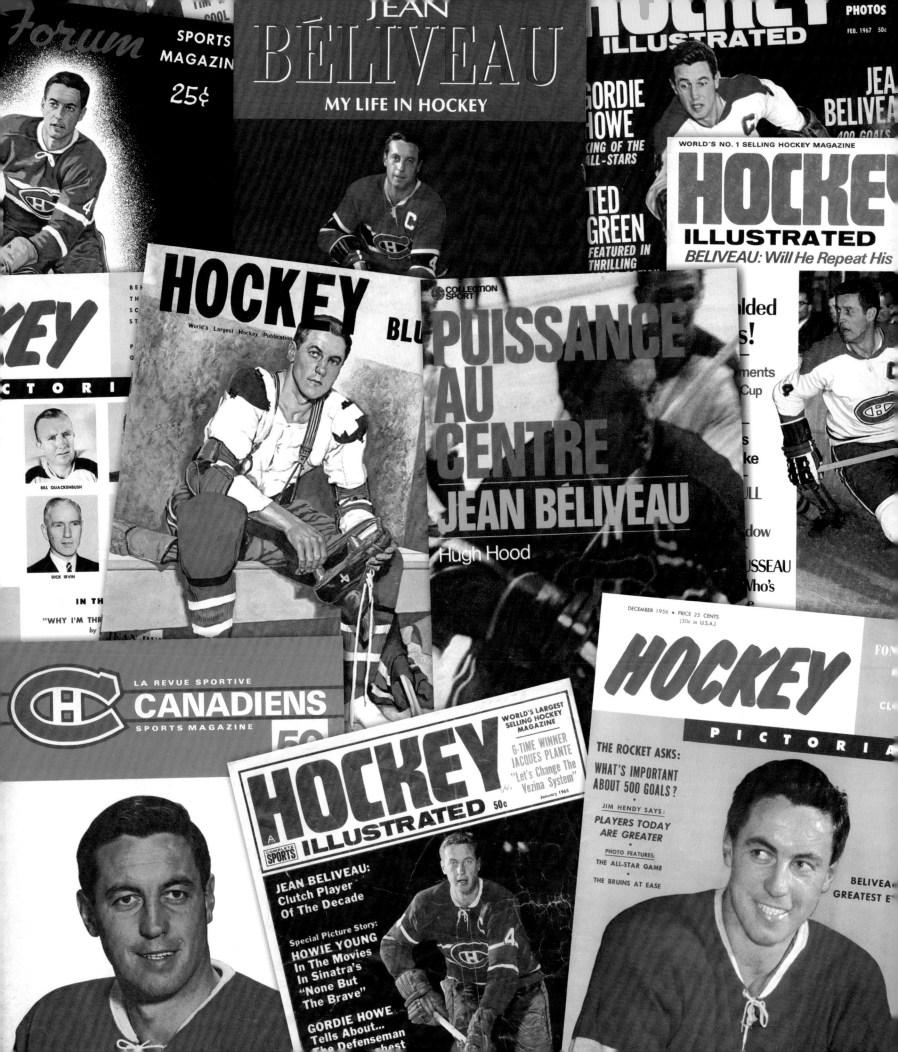

Jean Béliveau
Centre 1950-1951 à 1970-1971

Béliveau célèbre une de ses 10 conquêtes de la coupe Stanley en 20 ans de carrière. Seul Henri Richard, qui a remporté le trophée 11 fois, a soulevé la coupe plus souvent que lui. Béliveau a aussi son nom gravé sept autres fois sur le prix convoité à titre de membre de la direction du Tricolore.

la LNH, inscrivant un but et récoltant une passe. Deux ans plus tard, il a marqué cinq buts en trois matchs.

Les Canadiens ont finalement acheté la Ligue senior du Québec et en ont fait un circuit professionnel. Le contrat de Béliveau stipulait qu'il devait

CANADIENS EN CHIFFRES
JEAN BÉLIVEAU ("Le Gros Bill")

n. Trois Rivières, Québec, 31 août 1931
6'3"   205 lbs   centre   lance de la gauche

	SAISON RÉGULIÈRE					SÉRIES ÉLIMINATOIRES				
	PJ	B	A	Pts	Pun	PJ	B	A	Pts	Pun
1950-1951	2	1	1	2	0	—	—	—	—	—
1952-1953	3	5	0	5	0	—	—	—	—	—
1953-1954	44	13	21	34	22	10	2	8	10	4
1954-1955	70	37	36	73	58	12	6	7	13	18
1955-1956	70	47	41	88	143	10	12	7	19	22
1956-1957	69	33	51	84	105	10	6	6	12	15
1957-1958	55	27	32	59	93	10	4	8	12	10
1958-1959	64	45	46	91	67	3	1	4	5	4
1959-1960	60	34	40	74	57	8	5	2	7	6
1960-1961	69	32	58	90	57	6	0	5	5	0
1961-1962	43	18	23	41	36	6	2	1	3	4
1962-1963	69	18	49	67	68	5	2	1	3	2
1963-1964	68	28	50	78	42	5	2	0	2	18
1964-1965	58	20	23	43	76	13	8	8	16	34
1965-1966	67	29	48	77	50	10	5	5	10	6
1966-1967	53	12	26	38	22	10	6	5	11	26
1967-1968	59	31	37	68	28	10	7	4	11	6
1968-1969	69	33	49	82	55	14	5	10	15	8
1969-1970	63	19	30	49	10	—	—	—	—	—
1970-1971	70	25	51	76	40	20	6	16	22	28
TOTAUX	1 125	507	712	1 219	1 029	162	79	97	176	211

jouer avec les Canadiens s'il passait chez les professionnels, si bien qu'il ne pouvait plus évoluer avec les As sans violer les conditions de son contrat. Il a paraphé l'entente la plus lucrative de l'histoire de la LNH en 1953, la veille du match des étoiles. On lui versa 20 000 $ par année sur cinq ans et il a valu chaque sou investi.

À sa saison recrue, une blessure a tenu Béliveau à l'écart du jeu pendant plusieurs semaines et sa production offensive a été limitée à 13 buts en 44 matchs. Ses habiletés ont émergé la saison suivante. Il a marqué 37 buts et a joué les 70 matchs de son équipe. Excellent début de carrière certes, mais Béliveau était bien conscient que ses adversaires tiraient partie de sa nature charitable. Poussé et bousculé de façon à laquelle on n'aurait jamais osé traiter les Gordie Howe ou Ted Kennedy, « le Gros Bill » a sorti les épaules à sa troisième saison.

Le numéro 4 du Tricolore a passé 143 minutes au banc de punition en 1955-1956, tout en menant la ligue au chapitre des buts (12) et des points (19) en séries éliminatoires. Même s'il a été un marqueur régulier tout au long de sa carrière, ce fut la seule campagne au terme de laquelle il a remporté le trophée Art-Ross. La saison suivante, il a joué de façon tout aussi robuste et a terminé la saison avec 84 points, en route vers une deuxième coupe Stanley. Par la suite, il a pu profiter d'un peu de tranquillité.

Sa meilleure garantie était de bien se battre et il l'a fait de façon assez convaincante pour que ses adversaires comprennent que ça ne valait pas vraiment la peine.

Béliveau a mené les buteurs (45) de la ligue en 1958-1959 et il a accumulé en moyenne près d'un point et

Jean Béliveau
Centre 1950-1951 à 1970-1971

demi par match au cours de ses sept premières saisons. Il a aussi remporté cinq fois la coupe Stanley durant cette période. La plus récente a été gagnée au terme de la saison 1959-1960 après laquelle le capitaine Maurice Richard a annoncé sa retraite, Doug Harvey a hérité du « C » la saison suivante. Peu de doute après cela que Béliveau serait le prochain capitaine. Au cours des dix saisons qui ont suivi, il a porté le « C » avec une classe et une dignité qui lui ont permis de personnifier le rôle.

À l'image de Jacques Plante qui a tenté de comprendre l'art du travail de gardien, Béliveau a disséqué le rôle de capitaine et il a appliqué ses connaissances à la position. Il croyait que le capitaine avait trois fonctions : être un leader dans le vestiaire, faire le lien entre les joueurs et la direction; et, d'être un modèle pour les partisans. Il vivait chaque jour de ses responsabilités de capitaine, toujours conscient de son rôle.

Ce fut sous sa direction que les Canadiens ont remporté quatre autres coupes Stanley entre 1965 et 1969. Pendant cette période,

Les talents et le style robuste de Béliveau ont fait de lui un des plus grands joueurs de l'histoire.

Béliveau a connu sa seule mésaventure en carrière à Montréal, subissant une blessure à l'œil après avoir été atteint par le bâton de Stan Mikita. Bien qu'incommodé par la douleur et l'inconfort, il a offert un rendement à un niveau élevé. Il s'est entièrement remis de cette blessure et les partisans sont revenus au Forum pour l'encourager. Le 3 mars 1968, dans un match disputé à l'Olympia de Détroit, Béliveau est devenu seulement le deuxième joueur à franchir le cap des 1 000 points après Gordie Howe, grâce à un but inscrit à son 911e match en carrière.

Le 11 février 1971, Béliveau a franchi un autre plateau en inscrivant son 500e but contre le Minnesota et il est ainsi devenu le quatrième joueur de l'histoire à y parvenir après le « Rocket », Howe, et Bobby Hull. Béliveau a aussi été nommé dix fois au sein des équipes d'étoiles de la ligue. Il a été le tout premier récipiendaire du trophée Conn-Smythe en 1965 à titre de joueur par excellence des séries et a pris part à 13 matchs des étoiles.

UNE SOIRÉE D'HONNEUR

Avec la campagne 1970-1971 qui battait son plein, il était devenu clair pour Jean Béliveau que sa 20e saison avec les Canadiens était sa dernière. À quelques jours de son 40e anniversaire de naissance, son amour du jeu ne s'était pas éteint, mais la fatigue l'avait rattrapé. Ainsi donc, les Canadiens ont organisé une soirée spéciale en son honneur, le 24 mars 1971, avant le match face aux Flyers de Philadelphie. La cérémonie a été marquée par une abondance de cadeaux et de bons mots, mais pour le capitaine, le coup de grâce a été un chèque de 155 855 $ versé à la Fondation Jean-Beliveau pour les enfants dans le besoin. Il a été rejoint sur la glace par son épouse Élise et leur fille Hélène. Une fois la cérémonie terminée, les 17 154 spectateurs présents au Forum ont eu droit à une victoire des leurs 5 à 3. Malgré les milliers de lettres et de télégrammes réclamant qu'il joue une saison de plus, Béliveau s'est retiré à la fin de la saison, après avoir mis les mains sur une dixième coupe Stanley.

Jean Béliveau

Centre 1950-1951 à 1970-1971

Le gardien des Bruins Gerry Cheevers a une vue sur les deux meilleurs numéros 4 de tous les temps – Jean Béliveau et Bobby Orr – qui luttent devant le filet.

À la retraite, Béliveau est demeuré fidèle aux Canadiens et a occupé plusieurs postes au sein de l'organisation, mais sa tâche principale a été de promouvoir le club et la ligue. Son charisme et sa personnalité extraordinaires, sans compter la dignité avec laquelle il pratiquait son sport et se comportait hors de la patinoire, ont assuré qu'il n'était pas seulement un membre des Glorieux, mais un joueur de la LNH. Non seulement il était un gentilhomme, mais un gagnant de premier plan. Seul son coéquipier Henri Richard, avec 11 coupes Stanley, a remporté le précieux trophée plus souvent que lui. Aujourd'hui, à l'instar d'un dignitaire ou d'un ancien premier ministre, Béliveau peut être vu à la plupart des matchs des Canadiens au Centre Bell, n'ayant pas trop changé depuis l'annonce de sa retraite en 1971.

Le défilé de la coupe Stanley était un événement quasi annuel à Montréal. Béliveau célèbre ici la conquête de 1969, à la suite d'un balayage en finale contre St-Louis.

Bernard Geoffrion

Ailier droit 1950-1951 à 1963-1964

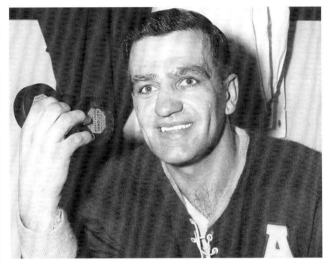

Geoffrion tient trois rondelles après un autre tour du chapeau.

Charlie Boire, journaliste au *Montreal Star*, est à l'origine du sobriquet « Boom Boom » en raison du double son qu'il croyait entendre quand Bernard Geoffrion décochait un tir alors qu'il évoluait dans les rangs juniors à Laval. Le premier « boom » quand le bâton frappait la glace et le deuxième quand la rondelle s'écrasait contre la bande.

Bien sûr, le surnom convenait au tireur le plus puissant du hockey. Geoffrion n'a pas inventé le lancer frappé – utilisé depuis le début du 20e siècle sous différentes formes – mais il a perfectionné cet art. Après tout, il fallait une technique spéciale dans l'approche et le suivi, ainsi qu'une force brute, un synchronisme et une capacité à se libérer suffisamment pour lancer. Quelques joueurs pouvaient maîtriser le tir dans les premières années, mais Geoffrion le pratiquait chaque

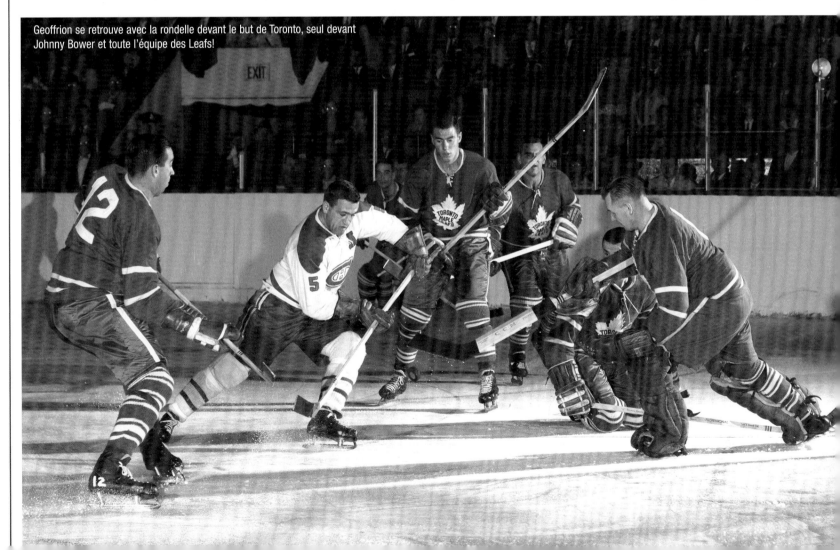

Geoffrion se retrouve avec la rondelle devant le but de Toronto, seul devant Johnny Bower et toute l'équipe des Leafs!

jour jusqu'à ce qu'il devienne l'arme la plus dangereuse de son arsenal.

Si Geoffrion avait évolué ailleurs et à une autre époque, il aurait possiblement eu droit à plus de reconnaissance. À l'inverse, il n'aurait peut-être pas accumulé les succès s'il avait joué ailleurs et dans un autre contexte. Après tout, il était à Montréal au sein du club le plus décoré de l'histoire. Geoffrion détient deux records de la LNH qui seront difficiles à abaisser. Il a pris part à 10 finales consécutives de la coupe Stanley et à 106 matchs consécutifs de la finale de 1951 à 1960. Aucun autre joueur des grandes équipes des Canadiens ou dans l'histoire ne peut en dire autant.

Toutefois, Geoffrion jouait aux côtés de Maurice Richard, Jean Béliveau et Doug Harvey et il se retrouvait souvent dans l'ombre de ces super étoiles. Quand il est arrivé avec les Canadiens à la fin de la saison 1950-1951, il était un espoir fort prisé par la direction et il a su répondre aux attentes. Geoffrion a remporté le trophée Calder en 1951-1952 après avoir marqué 30 buts en 67 matchs. La saison suivante, il a mené la ligue avec six buts en séries éliminatoires et les Canadiens ont remporté la coupe Stanley, une première de six pour « Boom Boom ».

Il a atteint un premier plateau en 1954-1955, mais l'événement s'est déroulé dans une controverse hors de son contrôle. Geoffrion était le meilleur buteur et parmi les meilleurs pointeurs de la ligue, mais avec quelques matchs au calendrier, Maurice Richard l'a dépassé. Ce dernier a toutefois commis des gestes dans un match à Boston qui ont conduit à sa suspension pour le reste de la saison. Geoffrion a été en mesure de reprendre le premier rang et de remporter le titre par un point devant Richard. La foule du Forum a copieusement hué

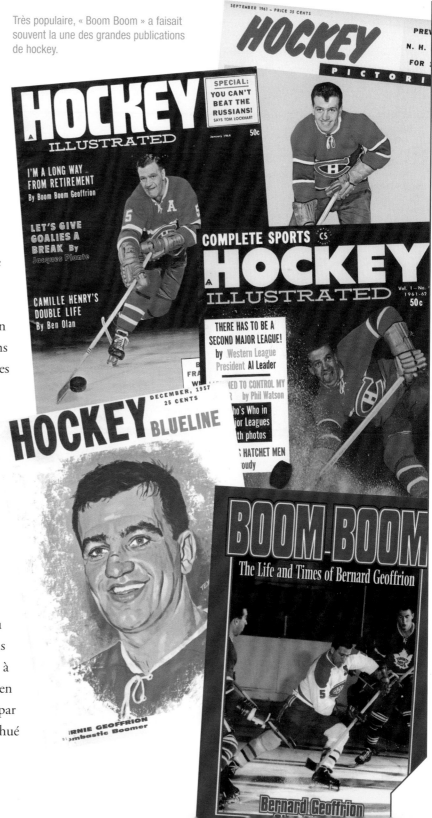

Très populaire, « Boom Boom » a faisait souvent la une des grandes publications de hockey.

Bernard Geoffrion
Ailier droit 1950-1951 à 1963-1964

Geoffrion quand il a dépassé Richard, plusieurs partisans estimant qu'il aurait dû cesser de marquer pour permettre au « Rocket » de remporter un titre « qui lui revenait ».

L'incident a laissé des traces indélébiles entre le joueur et les partisans parce que Richard, malgré les nombreux honneurs récoltés au cours de sa longue carrière, n'a

jamais remporté le trophée Art-Ross. Deux ans plus tard, Geoffrion a mérité les éloges et l'admiration de tous en effectuant un retour miraculeux. Pendant un entraînement de la fin janvier 1958, il est entré en collision avec André Pronovost de façon anodine, mais il s'est affaissé sur la glace. Transporté d'urgence à l'hôpital, Geoffrion a été immédiatement opéré pour une perforation de l'intestin. On lui a administré les derniers sacrements, mais une fois sa situation stabilisée, les médecins l'ont avisé que sa carrière pourrait être terminée. Six semaines

UN HONNEUR ENDEUILLÉ

Le soir du 11 mars 2006 était censé être une joyeuse célébration. Les Canadiens accueillaient les Rangers et une cérémonie en l'honneur de « Boom Boom » Geoffrion était au programme pour retirer son chandail numéro 5. Malheureusement, le grand marqueur est décédé le matin même à Atlanta, victime d'un cancer à l'estomac. Malgré tout, « Boom Boom » voulait que la cérémonie se déroule avec ou sans lui. Ce soir-là, Marlene, son épouse depuis 54 ans, et ses enfants Danny, Bob et Linda, plusieurs de ses petits-enfants et d'anciens coéquipiers se sont présentés au centre de la patinoire du Centre Bell pour prendre part à une cérémonie émouvante qui a pris fin sur un moment de silence en l'honneur du défunt. Une bannière numéro 5 dotée d'une bande noire a été soulevée vers le plafond pour rejoindre le numéro 7 de Howie Morenz avant de compléter le trajet côte à côte. C'est que Marlene était non seulement l'épouse d'une légende, mais aussi la fille de Morenz.

Geoffrion tente de contourner le but du revers contre Chicago. Il a remporté le trophée Art-Ross deux fois comme champion marqueur de la LNH.

plus tard, Geoffrion défiait les pronostics et était de retour sur la glace. Quelques semaines après, il tenait la coupe Stanley à bout de bras.

La saison précédente, Geoffrion avait subi une autre blessure grave, cette fois une dislocation de l'épaule qui l'a écarté du jeu pendant 28 matchs. Il est toutefois revenu en force avec 11 buts et 18 points en séries éliminatoires, un sommet dans le circuit, pour ramener la coupe à Montréal. « Boom Boom » a inscrit deux buts et une passe dans l'ultime rencontre

en finale face aux Bruins, incluant le but gagnant dans la victoire de 5 à 3.

Malgré tous les succès déjà cumulés, Geoffrion a connu une saison 1960-1961 absolument mémorable. Le joueur des Canadiens suivait l'ailier gauche étoile Frank Mahovlich des Maple Leafs dans une course au championnat des marqueurs extrêmement palpitante. Personne n'avait

Geoffrion était un buteur étoile, mais il n'hésitait jamais à revenir dans son territoire pour mettre un joueur en échec et l'empêcher de marquer.

Bernard Geoffrion

Ailier droit 1950-1951 à 1963-1964

« Boom Boom » effectue une belle feinte contre Toronto.

marqué 50 buts en une saison depuis Maurice Richard en 1944-1945, mais les deux joueurs semblaient en voie de franchir cette marque. La question était maintenant de savoir qui y arriverait en premier et qui terminerait la saison en tête. Geoffrion a favorablement répondu à ces deux questions.

Mahovlich est tombé en panne dans les 12 derniers matchs de la saison, terminant la saison avec 48 buts tandis que Geoffrion a marqué son 50e

but au 68e match de son équipe. Il a été blanchi dans le dernier week-end d'activité, le privant d'un autre record. On lui a décerné les trophées Hart et Art-Ross au terme d'une saison où il a accumulé 95 points, soit un de moins que le record de tous les temps détenu par son coéquipier Dickie Moore, établi en 1958-1959.

À cause de Richard, puis de Gordie Howe, Geoffrion a été nommé au sein de la première équipe d'étoiles une seule fois, mais seulement deux joueurs avaient marqué plus de buts que lui en carrière (371) dans l'histoire – Howe et Richard – quand il a mis fin à son parcours avec les Canadiens en 1964. Geoffrion a effectué un retour au jeu à la fin des années 1960 et a accru son total à 393 buts après deux saisons chez les Rangers et encore en 1972 il occupait le cinquième rang de la liste des meilleurs marqueurs de tous les temps. Il a plus tard tenté sa chance comme entraîneur-chef des Canadiens et il a eu le plaisir de voir son fils Danny jouer sous ses ordres. On se souviendra de Geoffrion pour ses buts sensationnels, son incroyable série de succès en séries éliminatoires et pour sa ténacité. Il n'avait peut-être pas la magie d'un Richard ou la personnalité d'un Béliveau, mais il maniait le bâton avec le même brio que ces grands joueurs.

CANADIENS EN CHIFFRES
BERNARD GEOFFRION (« Boom Boom »)

n. Montréal, Québec, 16 février 1931 **d.** Atlanta, Georgie, 11 mars 2006
5'9" 166 lbs ailier droit lance de la droite

	SAISON RÉGULIÈRE					SÉRIES ÉLIMINATOIRES				
	PJ	B	A	Pts	Pun	PJ	B	A	Pts	Pun
1950-1951	18	8	6	14	9	11	1	1	2	6
1951-1952	67	30	24	54	66	11	3	1	4	6
1952-1953 🏆	65	22	17	39	37	12	6	4	10	12
1953-1954	54	29	25	54	87	11	6	5	11	18
1954-1955	70	38	37	75	57	12	8	5	13	8
1955-1956 🏆	59	29	33	62	66	10	5	9	14	6
1956-1957 🏆	41	19	21	40	18	10	11	7	18	2
1957-1958 🏆	42	27	23	50	51	10	6	5	11	2
1958-1959 🏆	59	22	44	66	30	11	5	8	13	10
1959-1960 🏆	59	30	41	71	36	8	2	10	12	4
1960-1961	64	50	45	95	29	4	2	1	3	0
1961-1962	62	23	36	59	36	5	0	1	1	6
1962-1963	51	23	18	41	73	5	0	1	1	4
1963-1964	55	21	18	39	41	7	1	1	2	4
TOTAUX	766	371	388	759	636	127	56	59	115	88

Geoffrion et son directeur général Frank Selke partagent un moment dans le vestiaire. Selke a été celui qui a mis « Boom Boom » sous contrat à Montréal.

Doug Harvey
Défenseur 1947-1948 à 1960-1961

Surnommé plus tard le Bobby Orr de son époque, Doug Harvey a été le plus grand défenseur de sa génération, six fois vainqueur de la coupe Stanley et sept fois récipiendaire du trophée Norris.

La comparaison entre les deux joueurs est toutefois boiteuse à bien des niveaux. Orr était bien meilleur patineur et Harvey supérieur dans son territoire. Harvey jouait à une époque où trois buts suffisaient amplement pour remporter un match, tandis que Orr évoluait avec les Bruins de Boston, une formation qui a établi de nouvelles marques offensives année après année. Harvey était plus passeur que buteur, alors que Orr s'est distingué pour ses exploits offensifs. La comparaison se fait surtout sur deux points. D'abord, les deux joueurs étaient très habiles pour monter la rondelle en territoire adverse et les deux contrôlaient le jeu quand ils étaient sur la patinoire.

Harvey savait quoi faire avec le disque, gardait son calme et agissait intelligemment quand les autres autour de lui avaient tendance à paniquer et à commettre des erreurs. Il ne remontait jamais la rondelle d'un bout à l'autre de la patinoire comme Orr le faisait. Harvey savait où se trouvaient ses coéquipiers et ce à quoi ses adversaires pensaient. Il prenait toujours la bonne décision, il déplaçait la rondelle rapidement, patinait et effectuait la passe parfaite en mouvement.

Un des jeux qui ont rendu Harvey fameux était sa capacité à patiner rapidement avec la rondelle jusqu'à sa ligne bleue et d'envoyer une passe à un coéquipier tout juste avant la ligne bleue adverse.

Enfant, Harvey était un athlète multisports, un excellent demi et botteur au football, champion de boxe poids lourd dans l'armée pendant la Deuxième Guerre mondiale, excellent frappeur au baseball, mais il était avant tout, un joueur de hockey.

C'était pendant les années de la guerre que Harvey a pratiqué le hockey de façon plus sérieuse avec les Royaux de Montréal, d'abord chez les juniors, puis chez les seniors. Il a d'ailleurs remporté la coupe Allan en

Harvey et ses coéquipiers en grande conversation avec un arbitre pendant un arrêt de jeu.

Harvey se tient entre son adversaire et le filet dans un exemple classique du bon jeu défensif, prêt à repousser la rondelle hors de danger.

Avec ou sans rondelle, Harvey représentait la crème de la crème chez les défenseurs.

UN RARE BUT QUI COMPTE

Le parcours des Canadiens en séries éliminatoires en 1960 a été historique. La victoire des Canadiens a été leurs cinquième de suite, fait d'armes inégalé à ce jour. Le tout a été couronné de façon dominante, en balayant Chicago en quatre matchs, après avoir servi la même médecine aux Leafs. La série contre les Hawks avait pourtant mal commencé à la suite d'une bourde énorme de Doug Harvey, mais les Canadiens ont repris le dessus grâce à un superbe jeu de sa part. Montréal avait remporté le premier match 4 à 3 au Forum et les Canadiens semblaient en voie de gagner le match suivant, menant 3 à 2 avec quelques minutes à écouler. C'est alors que Harvey a perdu la rondelle à sa ligne bleue au profit de Bill Hay. Ce dernier s'est amené seul devant Jacques Plante et il a marqué pour forcer la prolongation. Accablé, Harvey s'est excusé à ses coéquipiers dans le vestiaire et a promis de faire amende honorable. C'est ce qu'il a fait à 8:38 de la prolongation, marquant le but gagnant et rapprochant le Tricolore à deux victoires de la coupe. Il s'agissait de son sixième but en 111 matchs des séries éliminatoires, mais ce rare but a fait la différence dans la quête des Canadiens de leur cinquième coupe consécutive.

Harvey a remporté le trophée Norris sept fois en huit ans, grâce à ses montées fulgurantes, mais aussi à son jeu presque parfait dans sa zone.

Doug Harvey
Défenseur 1947-1948 à 1960-1961

Le numéro 2 de Harvey a été retiré par les Canadiens en 1985.

Harvey poursuit un disque libre contre les Blackhawks.

1947 et l'année suivante se joignait aux Canadiens pour entreprendre une carrière qui l'a mené au Temple de la renommée.

Harvey s'est rapidement adapté au sein de la puissante équipe en devenir à Montréal. Bien que le club comptait déjà sur un ardent buteur en Maurice Richard, Harvey menait sur la glace et détendait l'atmosphère hors de la patinoire. À une époque où les reproches de Dick Irvin et de Toe Blake terrifiaient les joueurs, Harvey allégeait souvent l'air dans le vestiaire avec le bon mot pour amortir la douleur engendrée par la colère de l'entraîneur, sans pour autant limiter ses effets.

Évoluer au plus haut niveau n'est jamais facile, mais Harvey laissait paraître tout le contraire parce qu'il n'était jamais nerveux avant un match ou pendant. Irvin et Blake aimaient compter sur lui puisque Harvey pouvait évoluer à droite ou à gauche ou encore sur l'attaque à cinq ou en désavantage numérique.

En 20 ans dans la LNH, Harvey n'a jamais marqué plus de neuf buts dans une saison, mais ses habiletés de passeur étaient à la base de son talent offensif. Il a prouvé qu'un défenseur offensif n'avait pas besoin de marquer régulièrement, mais plutôt de contribuer à l'attaque par son coup de patin et ses habiletés de passeur. Il était adepte à garder la rondelle en territoire adverse, assurant le transfert de la défensive à l'attaque avec la vitesse et l'expertise et d'autres tactiques qui ont contribué à la production offensive de l'équipe.

Plus important encore était le dossier impeccable du club. Harvey a remporté six des 11 séries finales auxquelles il a pris part en 14 saisons à Montréal.

Harvey a écrit une page d'histoire en 1961-1962. Ayant remporté le trophée Norris la saison précédente, il a été échangé chez les Rangers de New York où il est devenu joueur-entraîneur, tandis que Lou Fontinato prenait la direction de Montréal. Les Rangers ont terminé au quatrième

rang pour accéder aux séries, tandis que Harvey a mis la main sur un autre trophée Norris, devenant ainsi le premier joueur de l'histoire à remporter un prix individuel tout en dirigeant une équipe, et le seul joueur à remporter deux trophées Norris de suite avec deux formations différentes.

Même si Harvey a bien aimé sa saison à New York, il haïssait les responsabilités d'entraîneur. Après une carrière d'homme libre, le fardeau de la responsabilité d'une équipe entière était trop lourd et il est revenu au jeu avec l'équipe sans avoir la charge d'entraîneur. Harvey a joué quelques années dans les mineures espérant d'avoir une autre chance

dans la LNH. C'est ce qu'il a obtenu à St-Louis avec l'entraîneur Scotty Bowman qui le connaissait bien depuis son séjour dans l'organisation des Canadiens.

Au moment d'annoncer sa retraite en 1969, Harvey a été nommé 10 fois au sein de la première équipe d'étoiles et il a pris part à 13 matchs des étoiles. Véritable légende à la ligne bleue, sa place dans le sport est à jamais établie et pour quiconque désirant en apprendre davantage sur ses réussites, ils n'ont qu'à jeter un regard sur le nombre de fois que son nom est gravé sur la coupe Stanley.

CANADIENS EN CHIFFRES
DOUG HARVEY

n. Montréal, Québec, 19 décembre 1924   **d.** Montréal, Québec, 26 décembre 1989
5'11"   187 lbs   défenseur   lance de la gauche

	SAISON RÉGULIÈRE					SÉRIES ÉLIMINATOIRES				
	PJ	B	A	Pts	Pun	PJ	B	A	Pts	Pun
1947-1948	35	4	4	8	32	—	—	—	—	—
1948-1949	55	3	13	16	87	7	0	1	1	10
1949-1950	70	4	20	24	76	5	0	2	2	10
1950-1951	70	5	24	29	93	11	0	5	5	12
1951-1952	68	6	23	29	82	11	0	3	3	8
1952-1953	69	4	30	34	67	12	0	5	5	8
1953-1954	68	8	29	37	110	10	0	2	2	12
1954-1955	70	6	43	49	58	12	0	8	8	6
1955-1956	62	5	39	44	60	10	2	5	7	10
1956-1957	70	6	44	50	92	10	0	7	7	10
1957-1958	68	9	32	41	131	10	2	9	11	16
1958-1959	61	4	16	20	61	11	1	11	12	22
1959-1960	66	6	21	27	45	8	3	0	3	6
1960-1961	58	6	33	39	48	6	0	1	1	8
TOTAUX	890	76	371	447	1 042	123	8	59	67	138

Comme plusieurs des plus grands joueurs de l'histoire du Tricolore, Harvey a eu droit à sa soirée d'honneur au Forum.

Hartland Molson
Bâtisseur

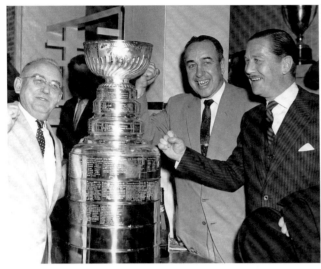

Molson célèbre une conquête de la coupe Stanley avec Frank Selke (à gauche) et Toe Blake (au centre).

Hartland Molson n'a jamais joué dans la LNH, mais sa contribution au hockey et aux Canadiens en ont fait un digne membre du Temple de la renommée du hockey en 1973 et un Officier de l'Ordre du Canada en 1995.

Fils du colonel Herbert Molson, un des fondateurs de la Canadian Arena Company, propriétaire des Canadiens, Hartland a terminé ses études au Collège Militaire Royal. Sa carrière universitaire a atteint son apogée en 1926 quand il a pris part à la finale de la Coupe Memorial face aux Canadiens de Calgary. Il aussi mené l'équipe de football du CMR en finale universitaire de football. Après ses études, Molson a passé un an à Paris pour ensuite occuper un poste d'administrateur à la Brasserie Molson à son retour. En 1933, peu après être devenu un comptable agréé, il a fondé et dirigé la compagnie aérienne Dominion Skyways.

Des grands se rencontrent : (de gauche à droite) Guy Lafleur, Hartland Molson, Jean Béliveau et Maurice Richard.

Pendant la Deuxième Guerre mondiale, il s'est joint à l'armée où il est plus tard devenu capitaine. En 1940, il a été abattu par les Allemands dans une mission de la bataille d'Angleterre et il a été renvoyé chez lui comme invalide, après avoir reçu l'Ordre de l'Empire Britannique pour ses contributions dans les efforts de guerre du Canada. Il vola aussi avec le réputé premier escadron de chasse, une des plus importantes unités alliées durant la guerre.

Le 24 septembre 1957, accompagné de son frère Thomas, il a acheté les Canadiens du sénateur Donat Raymond. Au fil des ans, Hartland

Molson est devenu président de l'équipe et du Canadian Arena Company avant de démissionner en 1968. L'équipe a remporté six coupes Stanley sous son règne.

Son mandat a été marqué par des changements énormes au sein de la LNH. Le sens des affaires de Molson a largement contribué au développement de la caisse de retraite de la LNH et il a travaillé sans cesse à amasser les fonds nécessaires à la construction du Temple de la renommée du hockey à Toronto en 1961. Dans les années 1960, Molson a vu à la rénovation complète du Forum. Des poutres en acier, qui bloquaient la vue de beaucoup de personnes, ont été éliminées, et le nombre de places a été augmenté pour en faire le plus grand et plus moderne amphithéâtre de la ligue.

Hartland Molson a gravi les échelons pour diriger les Canadiens durant des années glorieuses. Le club a remporté la coupe Stanley six fois en 11 ans.

HARTLAND MOLSON

n. Montréal, Québec, 29 mai 1907
d. Montréal, Québec, 28 septembre 2002

JOUER EN EUROPE

Après avoir quitté le Collège Militaire Royal, Molson a accepté un poste d'un an à la Banque Adam de Paris. Pendant ce temps, il a joué avec les Canadiens de Paris et a effectué plusieurs apparitions avec ce groupe. Parmi ses coéquipiers figuraient Clarence Campbell, futur président de la LNH et Billy Bell, ancien champion de la coupe Stanley avec les Canadiens de Montréal. Les trois ont été des étoiles partout en Europe et ils ont impressionné les spectateurs de partout par leur vitesse et leur talent.

Dickie Moore

Ailier gauche *1951-1952 à 1962-1963*

Surmonter les blessures et jouer avec un dévouement qui impressionnait les vétérans les plus endurcis de la LNH, Dickie Moore a fait sa place au cours des 12 saisons passées avec les Canadiens de Montréal, où il a remporté six coupes Stanley, deux trophées Art-Ross et a pris part à six matchs des étoiles.

Moore est né dans une famille montréalaise de dix enfants. Même s'ils étaient tous actifs, c'est sa sœur Dolly qui était la meilleure athlète de la famille, une étoile de l'athlétisme qui a tout juste raté sa qualification pour les Jeux olympiques. Dickie (« Richard » pour sa famille) a été frappé par une voiture à l'âge de 12 ans et il a été chanceux

de s'en tirer sans séquelles permanentes. Cet accident était l'ombre de sa carrière dans la LNH, marquée par plusieurs blessures importantes.

Adolescent, Moore excellait au hockey. Il a évolué avec les Royaux de Montréal dans les rangs juniors, remportant la Coupe Memorial en 1949, puis à nouveau l'année suivante avec les Canadiens Juniors de Montréal. Son frère aîné Jimmy jouait aussi avec les Royaux et les deux garçons causaient bien des maux de tête à l'entraîneur Tag Miller par leur style un peu trop robuste.

Au moment de remporter la Coupe Memorial, Dickie figurait déjà sur le radar du directeur général des Canadiens, Frank Selke, qui a vu à son transfert chez les Canadiens Juniors. En 1951-1952, Moore est retourné

Moore célèbre sa première coupe Stanley avec ses coéquipiers en 1953.

Dickie Moore (devant à droite) célèbre une de ses six coupes Stanley avec le Tricolore au cours d'une carrière marquée par de nombreuses blessures.

Dickie Moore
Ailier gauche 1951-1952 à 1962-1963

avec les Royaux dans les rangs seniors avec qui il amassait un point par match, avant d'être rappelé par les Canadiens où il a poursuivi sur sa lancée. Moore a accumulé 33 points en 33 matchs, inscrivant notamment 18 buts à sa première saison avec le club.

LE MATCH HISTORIQUE

Montréal a terminé la campagne 1958-1959 avec 91 points, un sommet dans le circuit. Les Bruins de Boston, deuxièmes, affichaient 73 points au classement, si bien qu'au moment de se rendre au Madison Square Garden pour le 70e et dernier match du calendrier régulier le 22 mars 1959, il ne restait plus tellement d'enjeux à la rencontre pour le Tricolore. Pour Dickie Moore, cela s'est avéré être le plus important match de sa carrière. Il menait le circuit avec 94 points, tout juste devant Jean Béliveau avec 88 points. Il était très peu probable de voir Béliveau amasser six points de plus que Moore alors ce dernier était pratiquement assuré de remporter le trophée Art-Ross. En première période, les deux joueurs ont chacun amassé un but et une passe, puis en troisième Béliveau a ajouté un deuxième but pour conclure sa campagne avec 91 points. Les deux points de Moore l'ont hissé à 96 points, abaissant par le fait même le record de Gordie Howe (95). Il faudra attendre jusqu'à la saison 1965-1966 pour voir la vedette des Black Hawks, Bobby Hull, établir une nouvelle marque par un seul point. Moore aura donc détenu la marque pendant sept saisons.

C'est alors que les blessures se sont pointées. Moore s'est blessé à un genou gravement et a raté plusieurs semaines d'activités, puis il s'est blessé aux deux genoux, ce qui l'a écarté du jeu pendant une plus longue période encore. Il a aussi subi une horrible blessure à la clavicule, l'obligeant à être opéré et à porter un harnais spécial, à passer par une réhabilitation et d'avoir des points de suture pour lier son épaule à son torse. Malgré tout, au cours de ces deux années, Moore a réussi à revenir à temps sur patins pour les séries éliminatoires de chaque saison, remportant la coupe en 1953, et perdant en finale l'année suivante contre Détroit en sept matchs. Moore a mené les marqueurs avec 13 points et huit mentions d'aide en 1954.

Moore a joué la majeure partie de la saison suivante, mais il n'était pas

CANADIENS EN CHIFFRES
DICKIE MOORE

n. Montréal, Québec, 6 janvier 1931
5'10"   168 lbs   ailier gauche   lance de la gauche

| | SAISON RÉGULIÈRE | | | | | SÉRIES ÉLIMINATOIRES | | | | |
	PJ	B	A	Pts	Pun	PJ	B	A	Pts	Pun
1951-52	33	18	15	33	44	11	1	1	2	12
1952-53	18	2	6	8	19	12	3	2	5	13
1953-54	13	1	4	5	12	11	5	8	13	8
1954-55	67	16	20	36	32	12	1	5	6	22
1955-56	70	11	39	50	55	10	3	6	9	12
1956-57	70	29	29	58	56	10	3	7	10	4
1957-58	70	36	48	84	65	10	4	7	11	4
1958-59	70	41	55	96	61	11	5	12	17	8
1959-60	62	22	42	64	54	8	6	4	10	4
1960-61	57	35	34	69	62	6	3	1	4	4
1961-62	57	19	22	41	54	6	4	2	6	8
1962-63	67	24	26	50	61	5	0	1	1	2
TOTAUX	654	254	340	594	575	112	38	56	94	101

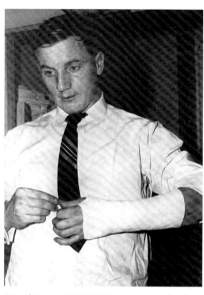

Un plâtre en 1957-1958 n'a pas empêché Moore d'être le meilleur marqueur du circuit.

Moore était très populaire dans le vestiaire du Tricolore auprès des joueurs et de ses entraîneurs.

efficace, récoltant 36 points en 67 matchs. Au cours des cinq années suivantes, les Canadiens ont remporté la coupe Stanley et Moore jouait le meilleur hockey de sa carrière. Il évoluait à la gauche de Maurice et de Henri Richard, mais passait souvent sur la droite ou au centre selon les blessures.

La saison 1957-1958 a possiblement été la plus spectaculaire de la carrière de Moore. Il a mené la ligue avec 36 buts et 84 points, mais ce qui est particulièrement incroyable c'est qu'il a réalisé ce fait d'armes malgré un protecteur au poignet gauche qu'il a porté plus de la moitié de la saison en raison d'une fracture. C'était ce genre de dévouement à l'équipe qui inspirait ceux qui l'entouraient et qui a contribué aux cinq conquêtes consécutives de la coupe Stanley (1955-1960).

En 1958-1959, il est resté en santé toute la saison et il a mené la ligue avec 55 passes et 96 points. C'est sans surprise qu'il a aussi dominé à ce chapitre en séries éliminatoires avec 5 buts et 12 passes en 11 matchs, dans un parcours qui s'est soldé par une autre conquête de la coupe Stanley.

Par conséquent, Moore a amassé une moyenne d'un point par match pendant ses 12 années avec le club. Il a plus tard effectué deux retours au jeu avant de se retirer pour de bon. D'abord avec Toronto un an après l'annonce de sa retraite, puis un deuxième avec les Blues de St-Louis en 1967-1968, où il a joué 27 matchs. L'héritage de Moore provient toutefois de ses années à Montréal. Il était plus qu'un membre de six équipes championnes de la coupe Stanley, il était l'incarnation même de ce qu'il fallait pour l'emporter et si le trophée Bill-Masterton avait existé à l'époque, Moore l'aurait certainement remporté une fois ou deux.

Le 12 novembre 2005, aux côtés de Yvan Cournoyer, qui a plus tard porté le même numéro que lui, Dickie Moore a été honoré par les Canadiens qui ont retiré leur numéro et élevé une bannière au plafond du Centre Bell. Jean Béliveau qui a joué avec les deux hommes était un des invités de la cérémonie d'avant-match.

Moore à la porte du but en attente de la rondelle. L'attaquant a marqué 254 buts en seulement 654 matchs de saison régulière.

Doug Harvey regarde Moore qui boit dans la coupe Stanley.

Joe Cattarinich
Bâtisseur

(de gauche à droite) Cattarinich, Létourneau et Dandurand, propriétaires des Canadiens de 1921 à 1935.

Passionné de sport, doté d'un bon sens des affaires et du moment choisi, Joe Cattarinich s'est élevé du rang de comptable pour devenir propriétaire des Canadiens de Montréal, champions de la coupe Stanley.

Cattarinich a fréquenté l'école à Lévis et il a obtenu son premier emploi en comptabilité dans une entreprise de construction navale. Ses aptitudes de joueurs de crosse étaient trop bonnes pour les ignorer, si bien qu'il a déménagé à Montréal pour tenter de faire carrière. Il a vendu des articles de sports de jour et évoluait pour la réputée équipe Nationale AAA en soirée. Il est resté cinq ans comme amateur, puis huit autres saisons chez les professionnels. C'est à partir de cette dernière

association qu'il a contribué à l'établissement de la première équipe professionnelle de hockey au Canada.

Cattarinich a fait le saut de la crosse au hockey à compter de 1909 et c'est à cette période qu'il a rencontré Léo Dandurand, un homme d'affaires accompli de l'industrie du tabac. Les deux ont développé des intérêts communs, principalement l'achat de pistes de course de chevaux à la grandeur du continent. Le 3 novembre 1921, en compagnie de Louis Létourneau, leur partenariat a abouti à l'achat des Canadiens au montant de 11 000 $. Le club était disponible à la suite du décès soudain du propriétaire, George Kennedy.

Sous l'égide des « Trois Mousquetaires », les Canadiens ont acquis plusieurs joueurs étoiles et ont été surnommés les « Flying Frenchmen ». Parmi eux, on comptait Aurèle Joliat, Howie Morenz et Newsy Lalonde, ainsi que le gardien Georges Vézina. L'arrivée de ce dernier est survenue après que Cattarinich, gardien du Nationale en 1910 avait affronté l'équipe de Chicoutimi et Vézina. Cattarinich a été époustouflé par la performance de son adversaire qu'il a quitté son poste et a poussé son directeur, Jack Laviolette, à embaucher Vézina. En retour, Cattarinich est devenu administrateur du Nationale et Vézina a joué chaque match des Canadiens de 1910 à 1925.

Cette équipe de propriétaires a vu les Canadiens leur offrir une première coupe Stanley en 1924, puis en 1930 et 1931. Létourneau a vendu sa part en 1931, tandis que Cattarinich et Dandurand sont demeurés propriétaires quatre autres saisons avant que les pressions financières les forcent à vendre le club au montant de 165 000 $.

Un des « Trois Mousquetaires », Joe Cattarinich a amené trois coupes Stanley en huit ans à Montréal (1923-1931).

JOE CATTARINICH

n. Québec, Québec, 13 novembre 1881
d. Nouvelle-Orléans, Louisiane, 7 décembre 1938

UN HOMME DE PAROLE

Cattarinich était reconnu comme un homme de parole, pour qui une poignée de main était aussi valide que n'importe quel contrat et à qui le mot humilité s'appliquait bien. Il a accordé plusieurs faveurs sans chercher à en obtenir le crédit et il n'a jamais recherché la publicité même si son acuité et ses succès en affaires le justifiaient.

Jacques Plante

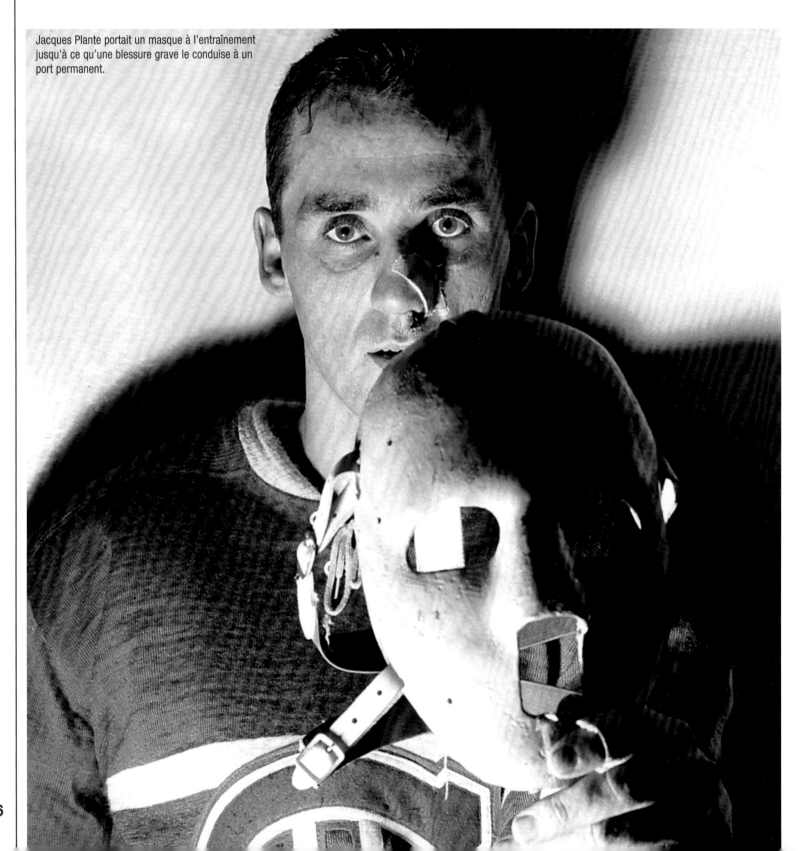

Jacques Plante portait un masque à l'entraînement jusqu'à ce qu'une blessure grave le conduise à un port permanent.

Être complexe et polyvalent, Jacques Plante avait le don d'être extrêmement simple devant le filet des Canadiens. Il s'assurait de garder la rondelle hors du but pendant que l'équipe accumulait les victoires. À ses 11 saisons à Montréal, les Canadiens ont remporté six coupes Stanley et ont perdu deux autres finales. Peut-être qu'il n'est pas le meilleur gardien de tous les temps, mais il est certainement le plus important et le plus influent de l'histoire.

Plante a évolué dans les rangs juniors avec les Royaux de Montréal, où les Canadiens pouvaient garder un œil sur lui. Il a obtenu son premier essai dans la LNH en 1952-1953, disputant trois matchs en saison régulière et quatre autres en séries. Il a pris part aux deux premiers matchs de la finale contre Boston, remporté 4 à 1, puis perdu 4 à 2, puis l'entraîneur Dick Irvin lui a préféré Gerry McNeil pour terminer la série. Les Canadiens ont remporté la série en cinq matchs et le nom de Plante

a été gravé sur le précieux trophée pour la première fois.

Le gardien a poursuivi sa progression graduelle en signant cinq jeux blancs sur sept victoires en 17 matchs la saison suivante. En séries éliminatoires il a été sensationnel, malgré une défaite en sept matchs contre Détroit en finale. Plante avait démontré qu'il était prêt pour la LNH et il n'a pas déçu. Au cours des neuf saisons suivantes, il s'est élevé au rang des meilleurs dans le circuit.

À sa première saison complète en 1954-1955, les Red Wings ont encore eu le dessus en finale. C'était là un dernier rendez-vous avec la défaite pour plusieurs années à venir. À compter de la saison suivante, Plante a mené le Tricolore à cinq conquêtes consécutives de la coupe

Véritable fer de lance de cinq conquêtes consécutives du titre de 1956 à 1960, Plante est soulevé par ses coéquipiers.

Jacques Plante
Gardien 1952-1953 à 1962-1963

Stanley, remportant le trophée Vézina chaque année.

Aussi important que la coupe, Plante a été un pionnier. Le 1er novembre 1959 dans un match contre les Rangers, il a reçu la rondelle tirée par Andy Bathgate directement au visage. Il a été accompagné hors de la patinoire et reçu quelques points de suture, mais il a refusé de retourner sur la patinoire sans masque. Pas très heureux, l'entraîneur Toe Blake n'avait pas d'autre choix. Chaque match était important et les équipes n'alignaient qu'un seul gardien. Un gardien du calibre de Plante ne pouvait pas être facilement remplacé.

Plante est retourné sur la patinoire avec un protecteur facial et son équipe a remporté le match. Les Canadiens ont remporté tous leurs matchs sauf un avec leur héros masqué devant le filet. Les gardiens de la LNH et de la LAH portaient déjà une protection à l'entraînement pour se préserver en vue des matchs. Plante hésitait avec les différents modèles qu'il possédait, mais ce n'était pas par accident qu'il était prêt le soir de son terrible accident. Cette soirée a marqué de plusieurs façons l'entrée du lancer frappé comme tactique d'intimidation par certains joueurs.

Que Plante puisse porter un masque est un témoignage à sa réputation, car un gardien de moindre importance aurait été traité de peureux, puis retourné dans les mineures. Mais Blake comptait sur le meilleur des gardiens et le masque ne semblait nullement empêcher son gardien d'évoluer à son mieux. D'autres gardiens ont lentement suivi l'exemple

CANADIENS EN CHIFFRES
JACQUES PLANTE (« Jake the Snake »)

n. . Shawinigan Falls, Quebec, 17 janvier 1929   d. Genève, Suisse, 26 février 1986
6'   175 lbs   gardien   attrape de la gauche

| | SAISON RÉGULIÈRE | | | | | | SÉRIES ÉLIMINATOIRES | | | | | |
	PJ	V-D-N	Mins	BC	BL	MOY	PJ	V-D-N	Mins	BC	BL	MOY
1952-53	3	2-0-1	180	4	0	1,33	4	3-1	240	7	1	1,75
1953-54	17	7-5-5	1 020	27	5	1,59	8	5-3	480	15	2	1,88
1954-55	52	31-13-7	3 040	110	5	2,17	12	6-3	639	30	0	2,82
1955-56	64	42-12-10	3 840	119	7	1,86	10	8-2	600	18	2	1,80
1956-57	61	31-18-12	3 660	122	9	2,00	10	8-2	616	17	1	1,66
1957-58	57	34-14-8	3 386	119	9	2,11	10	8-2	618	20	1	1,94
1958-59	67	38-16-13	4 000	144	9	2,16	11	8-3	670	26	0	2,33
1959-60	69	40-17-12	4 140	175	3	2,54	8	8-0	489	11	3	1,35
1960-61	40	23-11-6	2 400	112	2	2,80	6	2-4	412	16	0	2,33
1961-62	70	42-14-14	4 200	166	4	2,37	6	2-4	360	19	0	3,17
1962-63	56	22-14-19	3 320	138	5	2,49	5	1-4	300	14	0	2,80
TOTAUX	556	312-134-107	33 186	1 236	58	2,23	90	59-28	5 424	193	10	2,13

Plante est devenu le premier gardien de l'histoire de la LNH à remporter le trophée Hart et la Vézina la même année.

et en moins d'une décennie, presque tous les gardiens de tous les circuits portaient ce type de protection.

Plante a conçu plusieurs versions de son masque afin de l'améliorer, autant par souci de confort que pour la sécurité. À ce titre, il était autant concepteur que gardien et au début des années 1970, quand tous les gardiens portaient un masque, c'était généralement une version basée sur celui de Plante.

De plus, Plante étudiait beaucoup le hockey et il était un innovateur bien au-delà du masque. Il voyait le poste de gardien de but comme un sujet d'étude et il a longuement pensé à la façon d'évoluer devant le filet. Possiblement plus que tout autre gardien avant lui, il avait compris le concept de sortir de son filet pour défier le tireur et couper l'angle,

quelque chose que personne n'avait pris en compte à l'époque des gardiens sans masque. Plante savait qu'en sortant de son but, le tireur avait moins de possibilités au filet et moins d'espace pour tirer. Son masque lui donnait la confiance d'avancer. Il savait aussi qu'un gardien avec une position de corps disciplinée pouvait réussir là où d'autres n'y arriveraient pas.

Sans compter que Plante ne voyait aucune utilité au fait d'attendre dans son but pendant que des rondelles glissaient derrière son filet ou vers les coins de patinoire. Il sortait de son filet pour aller chercher la rondelle dégagée, parfois avant même que son défenseur y arrive. Il coupait des rondelles lancées derrière son filet et utilisait cet espace

Marque de commerce : Plante sort loin de son filet pour aller chercher le disque.

Plante, sans masque, se concentre pour effectuer un arrêt de la mitaine
devant Dick Duff, des Leafs, qui le presse.

Jacques Plante
Gardien 1952-1953 à 1962-1963

pour manipuler la rondelle sans risque.

Plante communiquait avec ses défenseurs et travaillait avec eux comme troisième défenseur pour dégager son territoire plus rapidement et efficacement. Il élevait son bras pour indiquer à un coéquipier un hors-jeu à retardement et il leur parlait pour les aviser du mouvement de la rondelle. Bref, le port du masque libérait le gardien pour faire bien d'autres choses.

Comme toute bonne chose a une fin, la série de succès du Tricolore a pris fin tôt dans les séries de 1961 par une

HART ET VÉZINA : UN RARE DOUBLÉ

Jacques Plante a écrit une page d'histoire en 1962 quand il a remporté les trophées Hart et Vézina. Seulement quatre gardiens avaient remporté le trophée Hart depuis la création de cette distinction en 1924, mais aucun n'avait aussi remporté le Vézina la même année. Plante a amené les Canadiens au premier rang de la saison régulière après avoir disputé les 4 200 minutes des 70 matchs du club, s'inclinant seulement 14 fois au cours de la saison. Son total de 166 buts alloués pour une moyenne de buts alloués de 2,37. Toronto, deuxième à ce chapitre, avait accordé 180 buts. Il s'agissait du sixième trophée Vézina en sept ans pour Plante, marquant la dernière fois que le phénomène se réalise avant Dominik Hasek à Buffalo réussisse le même exploit 35 ans plus tard en 1997.

défaite contre Chicago. L'année suivante, Plante a été sensationnel, menant le circuit pour le nombre de victoires, il a joué toutes les minutes de son équipe en saison et en séries. Il a remporté son sixième trophée Vézina et le trophée Hart à titre de joueur par excellence, fait d'armes qui a été réédité seulement en 1997 par Dominik Hasek à Buffalo et José Théodore avec les Canadiens en 2002.

En vérité, sa contribution à la compréhension du poste de gardien de but est si énorme qu'elle dépasse ses réalisations sur la patinoire, mais dans une carrière aussi riche, cela n'est ni surprenant, ni mauvais. Chaque gardien doit aujourd'hui une partie de sa sécurité à Plante et tous ceux qui comptent sur un entraîneur spécialisé doivent beaucoup de gratitude à l'ancien portier du Tricolore. Il a compris que d'être un gardien ne se limite pas à se tenir devant son filet et à bloquer des rondelles. Il a adopté une approche plus intelligente et poussée, comme le témoignent les sept trophées Vézina remportés au fil des ans et ses succès inégalés dans la LNH.

Grâce à son brillant maniement de rondelle, Plante relançait rapidement le jeu vers ses coéquipiers.

Plante obtient un coup de main de Jean-Guy Talbot alors qu'il repousse la rondelle loin du but.

Sam Pollock

Bâtisseur

Le directeur général le plus accompli de la LNH, Sam Pollock,
devant le logo du club qu'il a servi avec brio.

Au moment d'annoncer sa retraite le 30 septembre 1978, Sam Pollock n'avait plus rien à accomplir comme directeur général et bâtisseur au hockey. En 14 saisons avec les Canadiens, il avait remporté neuf coupes Stanley, orchestré une lignée sans fin de transactions brillantes, bâti un système de développement avec plusieurs espoirs de grand talent et établi une équipe de dépisteurs qui pouvaient dénicher la prochaine perle rare.

Pollock a toujours maintenu le cap avec ce qui l'avait propulsé au sommet – le travail acharné. Il n'était pas rare qu'il travaille 18 heures par jour et il a déjà dit qu'il prenait de très courtes vacances estivales et que le hockey était constamment dans ses pensées. Il pourrait bien avoir la chance et la bénédiction de son côté, mais Pollock travaillait dur pour se créer des occasions de l'emporter.

Pollock n'a jamais entretenu d'illusions quant à ses chances de jouer dans la LNH. À l'âge de 17 ans, il était gérant d'une équipe de baseball locale qui comptait – croyez-le ou non – trois futures vedettes des Canadiens dans ses rangs, soit Bill Durnan, Ken Reardon, et Elmer Lach. En quelques années, Pollock s'est retrouvé à la barre des Canadiens midget, le niveau en dessous des Canadiens juniors. Il a travaillé sous les ordres de Wilf Cude et de Frank Currie, puis quand ce dernier a quitté son poste, il a suggéré que Pollock prenne sa place.

Pollock s'est rapidement fait une réputation. Sur les terrains de balle comme adolescent ou plus tard avec les Canadiens midget, il avait le souci du détail et visitait tous les coins de la ville pour dénicher les meilleurs joueurs. S'il y avait quelque chose de providentiel dans ses talents qui le distinguaient de tous les autres, c'était son incroyable capacité à identifier le talent des joueurs.

Après être devenu directeur des Canadiens juniors en 1945, Pollock est devenu entraîneur de l'équipe deux ans plus tard et en 1949-1950, il a mené la formation à la conquête de la coupe Memorial. Cette victoire lui a valu une promotion, puisqu'il est devenu directeur du personnel des

SAM POLLOCK

n. Verdun, Québec, 15 décembre 1925
d. Toronto, Ontario, 15 août 2007

UN GRAND CERVEAU TOUJOURS AU TRAVAIL

Les repêchages de 1973 et 1974 fournissent un excellent exemple des capacités de Pollock. Denis Potvin était le favori pour devenir le tout premier choix en 1973, qui appartenait aux Islanders. Pollock croyait qu'il n'y avait pas de différence entre les joueurs qui suivaient. Toutefois, Montréal possédait le deuxième choix et Pollock savait qu'Atlanta, qui choisissait cinquième, désirait mettre la main sur Tom Lysiak. Pollock a envoyé son choix contre le premier choix d'Atlanta en 1973 et 1974! St-Louis était en quête d'un gardien et désirait choisir John Davidson. Les Blues ont fait ce que les Flames avaient réalisé plus tôt. Pollock a envoyé son nouveau premier choix à St-Louis pour son premier choix en 1973 (huitième au total) et celui de 1974. Pollock a réclamé Bob Gainey avec le choix de 1973. L'année suivante, il possédait deux choix en première ronde et il a réclamé Doug Risebrough et Rick Chartraw, deux joueurs qui étaient avec les Canadiens pour leurs quatre coupes Stanley à la fin des années 1970. L'équipe championne de 1977 était une belle représentation des talents de Pollock à acquérir des choix au repêchage.

Sam Pollock
Bâtisseur

joueurs des Canadiens dans la LNH aux côtés de Frank Selke. Ce fut un apprentissage à la fois long et fertile, mais il a éventuellement succédé à Selke, 14 ans plus tard.

Si Selke travaillait fort au niveau de la LNH pour s'assurer que les Canadiens continuaient de gagner, Pollock réalisait des exploits dans les ligues moins réputées que la LNH. En plus de diriger les Canadiens juniors, il remplissait les rangs de son équipe et de ses clubs affiliés des ligues mineures avec de futures étoiles, garantissant ainsi une relève prête à reprendre le flambeau des mains de joueurs blessés ou à la retraite. Selke et ses joueurs étaient tellement reconnus dans la LNH pour leurs succès que Pollock n'était pas tellement connu hors des cercles restreints du hockey. Les partisans des Canadiens étaient toutefois ébahis par la capacité du Tricolore de toujours avoir le bon joueur pour prendre la place d'un autre bon joueur qui quittait l'organisation.

Pollock a remporté une deuxième coupe Memorial avec les Canadiens juniors de Hull-Ottawa en 1957-1958 et il a guidé cette équipe à deux titres de la EPHL en 1961 et 1962. Un an plus tard, il a été directeur général des Knights d'Omaha qui ont remporté le titre de la CPHL. C'est à ce moment que le grand jour est arrivé.

Selke a quitté son poste de directeur général des Canadiens en 1964 et Pollock a pris la relève. C'était une décision à la fois intelligente et contentieuse. Le seul autre candidat au poste était Reardon, ce joueur de baseball qui a connu une carrière qui lui a plus tard ouvert les portes du Temple de la renommée du hockey. Après sa retraite, il a travaillé au deuxième étage du Forum comme vice-président pendant une décennie. Reardon était certain d'être nommé au poste.

Toutefois, le Sénateur Hartland Molson et son cousin David, qui étaient propriétaires du club, ont préféré se tourner vers Pollock qui s'était bien acquitté l'année précédente de la transaction qui a envoyé Jacques Plante, Phil Goyette et Don Marshall aux Rangers en retour de Gump Worsley, Dave Balon, Léon Rochefort et Len Ronson. Ce transfert a ouvert la voie à la garde partagée du filet entre Worsley et Charlie Hodge pour les deux premières conquêtes de la coupe sous Pollock en 1965 et 1966. Worsley était toujours à bord pour les deux autres coupes remportées à la fin des années 1960. Offensé qu'on lui ait préféré Pollock malgré sa loyauté et le fait qu'il avait joué pour le club, Reardon a quitté l'organisation.

Un des premiers changements apportés par Pollock en poste est survenu tout de suite après le repêchage amateur de 1964. Il a envoyé Paul Reid et Guy Allen à Boston en retour de Ken Dryden et d'Alex Campbell, une de ses plus brillantes décisions.

La grandeur de Pollock se définit en deux aspects. D'abord, il comprenait tout le portrait de la situation. Il savait que le succès dans la LNH dépendait d'un soutien solide et cela signifiait de combler les équipes-écoles et juniors avec d'excellents joueurs. La seule façon d'y parvenir était en embauchant une grande équipe de dépisteurs.

De plus, il savait aussi qu'un jeune joueur ne pouvait pas se joindre à un club de la LNH comme espoir et espérer contribuer comme il le ferait cinq ans plus tard quand il aurait plus d'expérience. Comme il l'a appris de son mentor Selke, un espoir doit d'abord se développer dans les rangs juniors, puis dans un circuit inférieur et dans la Ligue américaine. Seulement alors pouvait-il faire le saut en LNH et avoir un impact immédiat. Pollock n'était jamais en position d'agir en panique et la seule façon de se parer à une telle situation était de s'assurer de ne jamais être à court de ressources.

Il y a aussi eu les transactions, des moments spécifiques où Pollock a fait l'effort conscient d'améliorer son club pour le présent et l'avenir en transigeant avec d'autres formations. Personne dans l'histoire du

repêchage était meilleur que lui. Bien sûr l'exemple de la façon par laquelle il a obtenu les services de Guy Lafleur en 1971, ressort du lot. Il a d'abord envoyé Ernie Hicke et le choix de première ronde des Canadiens en 1970 aux Seals de la Californie en retour de François Lacombe et du choix de première ronde des Seals en 1971, croyant que ces derniers termineraient derniers l'année suivante et profiteraient ainsi du tout premier choix qui permettrait de mettre la main sur Lafleur.

Les problèmes ont débuté quand Los Angeles s'est avéré pire que les Seals en début de saison 1970-1971. Pollock a alors envoyé Ralph Backstrom aux Kings en retour de deux joueurs sans intérêt (Ray Fortin et Gord Labossière). Backstrom a aidé les Kings à remonter au classement, laissant

l'exclusivité du sous-sol aux Seals. Ainsi donc, Guy Lafleur s'est retrouvé à Montréal et non en Californie et les Canadiens ont remporté la coupe Stanley en 1973, 1976, 1977, 1978 et 1979.

Quand Pollock a annoncé sa retraite en 1978, l'équipe était en si bonne condition qu'elle a pu remporter la prochaine coupe Stanley. Pollock avait passé des années à apprendre les rouages du métier dans les circuits inférieurs avant d'atteindre la LNH pour y briller comme personne d'autre. Il a compris comment gagner, mais bien plus encore il arrivait à gagner parce qu'il travaillait dur.

Pollock a travaillé pendant des années sous les ordres du directeur général Frank Selke, si bien qu'il était près à lui succéder quand le moment est venu.

Henri Richard
Centre 1955-1956 à 1974-1975

Henri Richard a remporté la coupe Stanley 11 fois en 20 ans comme joueur, un fait d'armes inégalé depuis l'introduction de la coupe en 1893.

Il est impossible de ne pas comparer le jeune Henri Richard à son frère Maurice, mais est-il impossible que Henri ait connu une carrière égale, sinon supérieure à celle de son frère? Henri ne possédait pas le charisme de Maurice et il n'était pas aussi confortable en anglais. Il n'a jamais été suspendu et il n'y a jamais eu d'émeute entourant sa carrière, mais

CANADIENS EN CHIFFRES
HENRI RICHARD (« Pocket Rocket »)

n. Montréal, Québec, 29 février 1936
5'7"   160 lbs   centre   lance de la droite

	SAISON RÉGULIÈRE					SÉRIES ÉLIMINATOIRES				
	PJ	B	A	Pts	Pun	PJ	B	A	Pts	Pun
1955-1956 🏆	64	19	21	40	46	10	4	4	8	21
1956-1957 🏆	63	18	36	54	71	10	2	6	8	10
1957-1958 🏆	67	28	52	80	56	10	1	7	8	11
1958-1959 🏆	63	21	30	51	33	11	3	8	11	13
1959-1960 🏆	70	30	43	73	66	8	3	9	12	9
1960-1961	70	24	44	68	91	6	2	4	6	22
1961-1962	54	21	29	50	48	—				
1962-1963	67	23	50	73	57	5	1	1	2	2
1963-1964	66	14	39	53	73	7	1	1	2	9
1964-1965 🏆	53	23	29	52	43	13	7	4	11	24
1965-1966 🏆	62	22	39	61	47	8	1	4	5	2
1966-1967	65	21	34	55	28	10	4	6	10	2
1967-1968 🏆	54	9	19	28	16	13	4	4	8	4
1968-1969 🏆	64	15	37	52	45	14	2	4	6	8
1969-1970	62	16	36	52	61	—				
1970-1971 🏆	75	12	37	49	46	20	5	7	12	20
1971-1972	75	12	32	44	48	6	0	3	3	4
1972-1973 🏆	71	8	35	43	21	17	6	4	10	14
1973-1974	75	19	36	55	28	6	2	2	4	2
1974-1975	16	3	10	13	4	6	1	2	3	4
TOTAUX	1 256	358	688	1 046	928	180	49	80	129	181

INTRONISÉ EN 1979

ses réalisations sur glace, bien que moins dramatiques, ont été plus importantes que celles de Maurice et de presque tous ceux qui ont pratiqué ce sport. Il était surnommé « Pocket Rocket » parce qu'il était plus jeune et plus petit que Maurice, mais ses accomplissements étaient loin d'être en format de poche.

Henri a remporté la coupe Stanley 11 fois comme joueur, un record. Il a aussi été le neuvième joueur à avoir inscrit 1 000 points en carrière. Il a été capitaine des Canadiens pendant les quatre dernières années de sa carrière et figure parmi un nombre très restreint à avoir fait partie de deux

Richard avec ce qui lui appartient presque naturellement – la coupe Stanley.

Henri Richard

Centre 1955-1956 à 1974-1975

dynasties distinctes. Il a marqué deux buts gagnants pour la coupe, soit plus que quiconque dans l'histoire.

Même si Maurice et Henri étaient frères, 15 ans les séparaient. Quand Henri a entrepris sa carrière dans la LNH, Maurice était en fin de carrière. Ainsi donc, Henri était comme tous les autres enfants, il voulait jouer comme le grand Maurice Richard.

Henri était un centre productif avec les Canadiens et à son arrivée l'entraîneur Toe Blake l'a placé aux côtés de Dickie Moore et du « Rocket ». Henri s'est vite rendu compte que le succès découlait des passes dirigées vers son frère. Maurice avait toujours plus de buts que de passes tandis que Henri comptait plus de passes que de buts à sa fiche.

Quand il s'est taillé un poste avec les Canadiens au camp de 1955, Henri n'avait aucune idée de ce qu'il s'apprêtait à vivre. Les adversaires s'en prenaient à lui sans cause pour

deux raisons. D'abord, ils essayaient de lui faire jeter les gants parce qu'il était le plus jeune frère de Maurice, mais certainement pas aussi bon, comme le racontaient les mauvaises langues sur la patinoire. Puis en le narguant, les adversaires mettaient Maurice tellement en colère qu'ils le déconcentraient dans son jeu. Ce que personne ne saisissait c'est que Henri était capable de se défendre tout seul et laisser sa propre trace au hockey et ainsi permettre à Maurice de se concentrer sur son propre jeu.

Henri était petit et bouillonnant, un fier compétiteur dans tous les sens du mot. Il a remporté la coupe Stanley à ses cinq premières années dans le circuit. Si les critiques racontent qu'il les a gagnées à cause de son frère, Maurice lui-même répondait que c'était Henri qui avait renouvelé sa passion et l'avait poussé à prolonger sa carrière au-delà de ce qu'il aurait d'abord choisi.

Quand Maurice s'est retiré en 1960, Henri était plus libre de s'exprimer sur la glace et dans le vestiaire. Même si l'équipe a fait suivre cinq années de championnat par quatre années de disette au début des années 1960, Henri préparait une nouvelle génération qui allait

Richard derrière le filet de Chicago cherchant un coéquipier libre

Richard détient le record des Canadiens avec 1 256 matchs disputés.

Henri Richard poursuit le disque dans le coin sous les regards de deux autres futurs membres du Temple de la renommée : Doug Harvey et le gardien étoile Glenn Hall.

Henri Richard

remporter quatre autres titres dans la deuxième partie de la décennie, où Jean Béliveau, Claude Provost étaient les leaders.

Le plus beau moment de Richard au cours de cette décennie est survenu dans le sixième et dernier match de la finale contre Détroit, en prolongation, Richard a marqué le but décisif de façon controversée. Il a d'abord fait une passe à Dave Balon à la ligne bleue des Wings, puis il a foncé au filet. Balon a retourné la rondelle à Richard dans l'enclave, mais il a été écrasé par le défenseur Gary Bergmann de Détroit et il glissait vers le filet. La rondelle a rebondi sur la main de Richard derrière le gardien Roger Crozier. Les Wings ont insisté que le but

aurait du être refusé puisque la rondelle a fait contact avec le gant, mais les officiels ont statué que le but était accordé.

Le couronnement de sa carrière s'est produit le 18 mai 1971. Jour de septième match de la finale à Chicago. Les Hawks ont pris les devants 2 à 0 à mi-chemin dans le match, mais Jacques Lemaire a marqué à 14 :18 de la deuxième période pour réduire l'écart à un but. Richard a ensuite marqué en fin de deuxième puis à nouveau en début de troisième grâce à un superbe jeu pour se défaire du défenseur Keith Magnuson. Les Canadiens ont gagné le match 3 à 2 et la coupe Stanley.

Fait typique chez Richard, ses prouesses ont reçu moins d'attention que le brio de la recrue Ken Dryden devant le filet, qui a remporté le trophée Conn-Smythe. Henri Richard a été le véritable héros de la soirée de la

UNE ÉTOILE D'ÉQUIPE

Malgré ses incroyables succès, Henri Richard se retrouvait rarement sous les projecteurs des honneurs individuels. Il a été nommé une seule fois au sein de la première équipe d'étoiles en 1958, mais cela est surtout dû au grand nombre de joueurs de pointe à sa position, notamment Jean Béliveau et plus tard Stan Mikita et Phil Esposito. Henri a été trois fois élu au sein de la deuxième équipe d'étoiles et il a pris part à 10 matchs des étoiles. Son seul trophée individuel a été le trophée Bill-Masterton, palme qu'il a remporté en 1974. Deux fois, il a mené la ligue dans la catégorie des passes, soit en 1957-1958 quand il jouait avec Dickie Moore et Claude Provost, puis en 1962-1963 avec Béliveau.

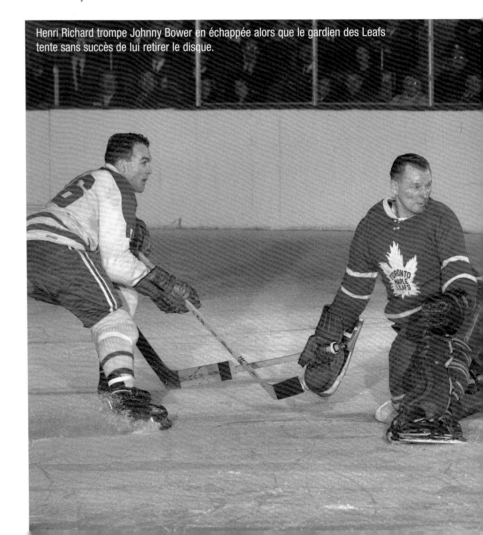

Henri Richard trompe Johnny Bower en échappée alors que le gardien des Leafs tente sans succès de lui retirer le disque.

conquête de la coupe, sa 10e en carrière.

Richard a remporté sa dernière coupe deux ans plus tard et il a annoncé sa retraite après la saison 1974-1975. Il a raté la majeure partie de la saison précédente en raison d'une fracture à la cheville, mais il est revenu au sein de l'alignement pour les séries éliminatoires. Malgré son comportement discret, Richard était au centre de controverses importantes. Avant de marquer le but gagnant pour la coupe en 1971, il avait été critique à l'endroit de l'entraîneur Al MacNeil parce que ce dernier l'avait rayé de l'alignement pour un match. Quelques années plus tard, Henri et Serge Savard se sont vertement engueulés dans le vestiaire. Puis au cours de sa dernière saison, l'entraîneur Scotty Bowman n'a pas retenu Henri pour le soir d'ouverture, durant lequel des cérémonies d'avant-match avaient eu lieu en l'honneur de Maurice.

Ces argumentations et ces explosions tenaient bien compte de l'incroyable ténacité et de l'esprit compétiteur de Henri. Tout au long de sa carrière, il était préoccupé de préserver son poste au sein de l'équipe, même s'il était une étoile dont l'équipe ne pouvait se passer. Bien sûr, le club a retiré son numéro 16 et Henri a été intronisé au Temple de la renommée, deux honneurs aussi reçus par Maurice et dont seulement quelques joueurs ont eu droit dans l'histoire du hockey. Henri peut être fier de sa carrière incomparable. Son caractère et sa conduite ainsi que son professionnalisme et son niveau extraordinaire ainsi que la fréquence de ses succès garantissent qu'on se souviendra toujours de lui comme un des grands, peu importe qui était son frère.

Vers la fin de sa grande carrière, Richard aux cheveux blancs était le capitaine du Tricolore, remportant toujours la coupe Stanley avec autant de régularité.

Richard coupe au filet pour défier le gardien Johnny Bower tentant d'inscrire un de ses 358 buts en carrière.

Lorne « Gump » Worsley

Gardien 1963-1964 à 1969-1970

Ses parents l'ont appelé Lorne, mais dès son jeune âge, ceux qui le connaissent l'appellent plutôt « Gump ».

INTRONISÉ EN 1980

Dans le feu de l'action, Worsley s'étend et se tord pour garder la rondelle hors du filet.

Incroyable, mais vrai, Lorne Worsley évoluait dans les mineures, quelques mois seulement après avoir mis la main sur le trophée Calder en 1953.

Les Rangers de New York avaient assigné le gardien chez les Canucks de Vancouver de la Ligue de l'Ouest, où il a été choisi joueur par excellence en 1954 après avoir signé 39 victoires. Rapatrié dans la Grosse Pomme la saison suivante, « Gump » a été le gardien étoile des Rangers pendant neuf saisons. Toutefois, les Rangers de New York se sont qualifiés seulement

quatre fois pour les séries éliminatoires au cours de cette période. Le brio de Worsley a poussé les Canadiens à envoyer Jacques Plante dans la métropole américaine en retour de ses services. À l'époque, Plante ralentissait, tandis que Worsley était fortement désiré à Montréal.

Personne ne pouvait être plus heureux que Worsley qui revenait à la maison. Malgré tout, la transition n'a pas été

Lorne « Gump » Worsley

facile. En raison de blessures, il a joué la majorité des deux saisons suivantes avec les As de Québec de la Ligue américaine. Il a surmonté cet obstacle pour ensuite devenir

PERSONNE NE DÉTESTE PLUS LES AVIONS

Gump Worsley en est venu à détester les voyages en avion. En 1949, alors qu'il évoluait chez les Rovers de New York, il a vécu une expérience inquiétante dans les airs. L'avion de l'équipe a traversé une zone de turbulence quand l'une des ailes a pris en feu, provoquant un atterrissage d'urgence. À l'époque des six équipes originales et dans les rangs mineurs, le train demeurait le principal moyen de transport, au grand bonheur de Worsley. Quelques années plus tard, quand il jouait à Montréal, un autre avion a frappé une zone de turbulence et le pilote a dû fermer les moteurs pendant quelques secondes. Même si la descente s'est tranquillement poursuivie, Worsley était paniqué à l'atterrissage. Le 26 novembre 1968, il est arrivé à Chicago après un autre horrible incident dans les airs. Il est rentré à Montréal en train et il a décidé d'accrocher ses jambières. Deux semaines plus tard, il revenait au jeu. Tôt l'année suivante, il a quitté les Canadiens n'en pouvant plus des voyages en avion, qui devenait le principal moyen de transport à la suite de l'expansion de 1967. Ironiquement, un de ses fils est devenu pilote dans l'armée de l'air canadienne.

une des clés du succès du Tricolore à la fin des années 60, quatre fois champion de la coupe Stanley en cinq ans. Le premier titre est venu en 1965, année où Worsley a joué huit des 13 matchs des Canadiens en séries. Le vétéran Charlie Hodge a partagé le reste du travail avec Worsley.

La saison suivante, Worsley a repris son poste, jouant 51 matchs en saison et toutes les minutes en séries. Worsley et Hodge ont remporté le trophée Vézina pour leur fiche commune. La saison suivante, « Gump » a subi des blessures qui l'ont tenu à l'écart du jeu pour la grande partie de la saison et des séries. Durant ce temps, Hodge et le jeune Rogatien Vachon se sont partagé le travail, mais après la défaite contre Toronto en finale, Worsley a pris encore plus de place l'année suivante.

En réalité, les séries de 1968 représentent possiblement le fait marquant de la carrière de Worsley. Même s'il n'a joué que 40 matchs en saison, il a mené la LNH avec une moyenne de 1,98, partageant le trophée Vézina avec Vachon. En séries, il a été sensationnel. Il a maintenu un dossier parfait de 11-0, en route vers la conquête d'un troisième titre en quatre ans.

Incroyable mais vrai, Worsley a porté un masque pour ses six derniers matchs après une carrière de deux décennies.

De petite taille, Worsley devait s'étendre pour effectuer plusieurs arrêts de la mitaine qu'un joueur plus grand aurait réalisé avec beaucoup moins d'effort.

CANADIENS EN CHIFFRES
LORNE « Gump » WORSLEY

n. Montréal, Québec, 14 mai 1929   **d.** Montréal, Québec, 26 janvier 2007
5'7"   180 lbs   gardien   attrape de la gauche

	SAISON RÉGULIÈRE						SÉRIES ÉLIMINATOIRES					
	PJ	V-D-N	Mins	BC	BL	MOY	PJ	V-D-N	Mins	BC	BL	MOY
1963-1964	8	3-2-2	444	22	1	2,97	—	—	—	—	—	—
1964-1965	19	10-7-1	1 020	50	1	2,94	8	5-3	501	14	2	1,68
1965-1966	51	29-14-6	2,899	114	2	2,36	10	8-2	602	20	1	1,99
1966-1967	18	9-6-2	888	47	1	3,18	2	0-1	80	2	0	1,50
1967-1968	40	19-9-8	2 213	73	6	1,98	12	11-0	672	21	1	1,88
1968-1969	30	19-5-4	1 703	64	5	2,25	7	5-1	370	14	1	2,27
1969-1970	6	3-1-2	360	14	0	2,33	—	—	—	—	—	—
TOTAUX	172	92-44-25	9 527	384	16	2,42	39	29-7	2 225	71	4	1,91

Lorne « Gump » Worsley

Gardien 1963-1964 à 1969-1970

En 1968-1969, il a joué un rôle moins important, mais encore significatif. Il a partagé son filet avec Vachon et la recrue Tony Esposito. Les Canadiens ont une fois de plus gagné la coupe. L'année suivante, la nervosité reliée aux voyages en avion a forcé Worsley à se retirer. « Gump » n'est pas resté trop longtemps à la retraite puisque les North Stars du Minnesota l'ont embauché la saison suivante. Il a finalement terminé sa carrière au Minnesota en 1974. Ironiquement, il a joué 861 matchs en saison régulière et 70 autres en séries, mais il a attendu aux six derniers matchs de sa carrière, à l'âge de 44 ans, pour porter un masque. Il est le dernier gardien à avoir joué sans masque dans la LNH.

Si plusieurs grands joueurs ont connu des carrières importantes seulement après l'expansion en 1967, Worsley a souffert du passage du train à l'avion, un mode de transport qui le terrifiait.

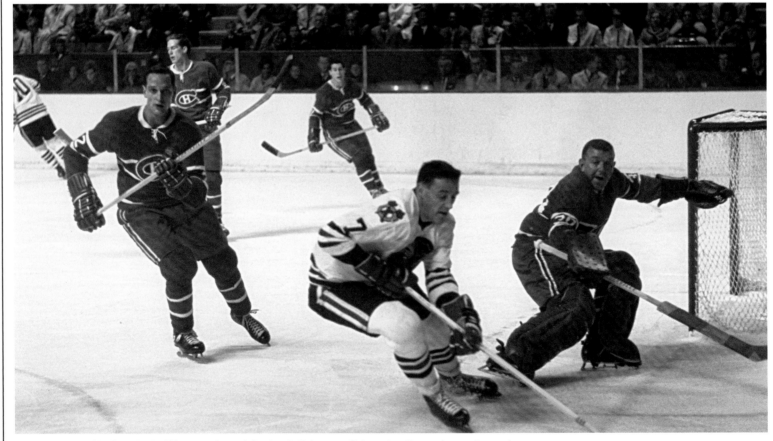

Worsley devance Phil Esposito de Chicago sur la rondelle et revient dans son filet avant qu'Espo crée une chance de marquer.

Un arrêt classique de Worsley où le gardien repoussait le tir puissant avant de frapper la rondelle dans les airs vers le coin, le tout exécuté avec calme.

Frank Mahovlich

Ailier gauche 1970-1971 à 1973-1974

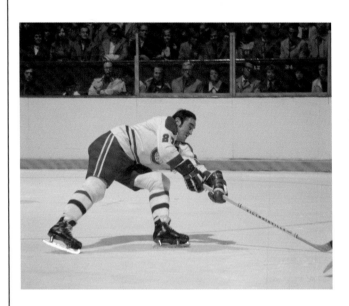

Frank Mahovlich n'a joué que quatre saisons à Montréal, mais il a remporté la coupe à deux occasions pendant son court séjour.

Aux côtés de Jean Béliveau et d'Yvan Cournoyer, Mahovlich a connu d'excellentes années avec les Canadiens, moyennant plus d'un point par match

Le 13 janvier 1971, Sam Pollock a possiblement réussi la meilleure transaction de son illustre carrière de directeur général des Canadiens. En envoyant Mickey Redmond, Guy Charron et Bill Collins à Détroit, le Tricolore obtenait les services de Frank Mahovlich. Même si Redmond a connu deux saisons de 50 buts avec les Red Wings, sa carrière a abruptement pris fin à la suite d'une grave blessure au dos. Charron s'est plus tard retrouvé à Kansas City et à Washington sans trop d'incidence tandis que Collins s'est promené davantage aux quatre coins de la ligue. Mahovlich a joué trois saisons et demie à Montréal, mais il a joué un rôle important dans les conquêtes de la coupe Stanley de 1971 et 1973.

À son arrivée à Montréal, Mahovlich a évolué avec Jean Béliveau et Yvan Cournoyer. L'entraîneur Al MacNeil en savait beaucoup sur son nouveau poulain, qu'il avait affronté dans une des plus grandes rivalités du hockey junior à l'époque dans la région de Toronto. Mahovlich avait connu trois bonnes années et demie à Détroit et il venait rejoindre son frère cadet Peter.

L'impact de Mahovlich a été immédiat. La chimie avec Béliveau et Cournoyer a été instantanée et il aurait certainement remporté le trophée Conn-Smythe au terme de la finale de 1971 si cela n'avait été du brio

CANADIENS EN CHIFFRES
FRANK MAHOVLICH ("The Big M")

n. Timmins, Ontario, 10 janvier 1938
6' | 205 lbs | ailier gauche | lance de la gauche

	SAISON RÉGULIÈRE					SÉRIES ÉLIMINATOIRES				
	PJ	B	A	Pts	Pun	PJ	B	A	Pts	Pun
1970-1971 🏆	38	17	24	41	11	20	14	13	27	18
1971-1972	76	43	53	96	36	6	3	2	5	2
1972-1973 🏆	78	38	55	93	51	17	9	14	23	6
1973-1974	71	31	49	80	47	6	1	2	3	0
TOTAUX	263	129	181	310	145	49	27	31	58	26

Mahovlich est surveillé par Norm Ullman des Leafs, son ancienne équipe, dans un match au Forum.

Frank Mahovlich
Ailier gauche 1970-1971 à 1973-1974

Après avoir joué plusieurs saisons avec les Leafs et les Red Wings, Mahovlich a immédiatement fait sentir sa présence avec les Canadiens.

exceptionnel de Ken Dryden devant les filets. En quarts de finale, les Canadiens ont surpris les Bruins en sept matchs et Mahovlich a inscrit le premier et le troisième but des siens dans un gain de 3 à 1 dans le troisième match. Dans le septième et dernier match, il a marqué deux buts et récolté une passe dans une victoire de 4 à 2. Les Canadiens ont ensuite éliminé le Minnesota en six matchs pour accéder à la finale contre Chicago.

Après avoir tiré de l'arrière 2 à 0 dans la série et 2 à 0

après une période dans le troisième match, Mahovlich a égalisé la marque en fin de deuxième période et il a ajouté le but d'assurance en fin de troisième dans une victoire très importante de 4 à 2. Dans le sixième match, il a marqué un but et préparé celui de son frère en troisième période pour couronner une victoire de 4 à 3 et forcer la tenue d'un septième match. Mahovlich a été le meilleur marqueur des séries avec 14 buts et 27 points tandis que les Canadiens ont gagné le dernier match de la série 3 à 2 pour remporter la coupe Stanley.

La saison suivante, le grand joueur a repris là où il avait laissé, marquant

43 buts et récoltant 96 points au cours de la saison régulière aux côtés de Cournoyer et de Guy Lafleur, qui avait remplacé Béliveau, à la retraite depuis l'été, au sein du meilleur trio de l'équipe et l'un des meilleurs du circuit. Mahovlich a terminé sixième meilleur marqueur de la ligue et Cournoyer huitième. L'équipe a été éliminée en six matchs en première ronde des séries face aux Rangers, mais est retournée en finale l'année suivante.

À nouveau, Mahovlich a connu une excellente saison régulière, amassant 38 buts et 55 passes (un record personnel) pour 93 points. Vers la fin de la saison, il a marqué son 500e but en carrière, devenant le cinquième joueur de l'histoire à franchir ce cap. En séries éliminatoires, il a amassé 23 points en 17 rencontres et les Canadiens ont remporté une deuxième coupe en trois ans. Après une autre excellente saison, Mahovlich a quitté Montréal pour se joindre aux Toros de Toronto de l'Association mondiale de hockey.

Son départ n'a pas surpris le directeur général Pollock, puisque Mahovlich désirait une entente à long terme malgré ses 36 ans. Cela semblait trop demandé sans compter que les attentes à l'endroit de Mahovlich n'étaient pas satisfaites.

Cette frustration découlait du style de Mahovlich, un grand ailier gauche puissant, qui n'utilisait pas son gabarit à bon escient. Il était un patineur brillant qui semblait flotter sans effort sur la patinoire, mais les partisans et les critiques affirmaient qu'il faisait preuve d'un manque d'effort plutôt que d'une grâce artistique. Tout semblait facile à exécuter et les gens se demandaient souvent ce qu'il aurait pu réaliser s'il avait tout laissé sur la patinoire. Malgré tout, Mahovlich affirmait déployer tous les efforts malgré les apparences. Incompris jusqu'au bout, il est impossible de contredire le succès qu'il a connu.

Entre Toronto et Montréal, il a remporté six coupes Stanley, et si on ajoute son séjour à Détroit, il a accumulé 533 buts et 1 103 points en 1 181 matchs. Il a pris part à 15 matchs des étoiles consécutifs et il a été nommé neuf fois au sein de la première ou de la deuxième équipe d'étoiles. Par contre, après avoir remporté le trophée Calder avec les Leafs en 1958, il n'a plus jamais reçu de trophée individuel. Son séjour à Montréal a été bref, mais ses contributions ont été importantes et ses statistiques combinées à celle de son frère Peter ont fait d'eux l'un des meilleurs duos de frères de l'histoire du circuit.

OBJECTIF 500

Frank Mahovlich a marqué son 500e but en carrière le 21 mars 1973, pour permettre aux Canadiens de vaincre les Canucks de Vancouver 3 à 2 en fin de saison régulière au Forum. Il est devenu le cinquième joueur de l'histoire à franchir ce cap (après Maurice Richard, Gordie Howe, Bobby Hull et Jean Béliveau), et ce, à son 1 105e match. Le tir faible à courte distance a trompé la vigilance du gardien Dunc Wilson. Ce fait d'armes a été souligné par les Canadiens le 28 novembre 1973, au début de la saison suivante. L'équipe a battu Los Angeles 5 à 3 ce soir-là, mené par les deux buts et une passe de son frère Peter. Les cérémonies d'avant-match comprenaient un hommage à Frank, accompagné par son épouse, Marie, et leurs trois enfants (Nancy, Ted et Michael) sur le tapis rouge au centre de la patinoire. Un an et demi plus tard, Phil Esposito des Bruins de Boston est devenu le sixième membre à se joindre au groupe. Mahovlich a terminé sa carrière avec 533 buts dans la LNH. Après la saison 1973-1974, il a joué quatre ans dans l'AMH.

Yvan Cournoyer
Ailier droit 1963-1964 à 1978-1979

Si les Canadiens de Montréal devaient un jour enseigner à un jeune joueur comment devenir une étoile dans la LNH, ils n'auraient qu'à sortir un film sur la carrière d'Yvan Cournoyer. Joueur de petite taille – trop petit selon les critiques – et trapu, l'athlète originaire de Drummondville avait des jambes qui lui offraient plus de vitesse que tous les autres joueurs de la LNH. C'est ce qui explique son surnom de « Roadrunner ». Il possédait un bon tir, un des meilleurs du circuit, qu'il doit à son père. Monsieur Cournoyer, père, travaillait dans un atelier d'usinage et Yvan lui avait demandé de lui fabriquer une rondelle d'acier pour qu'il pratique son tir. La rondelle pesait plus de trois livres, et Yvan pratiquait dans le sous-sol familial chaque jour. Quand il sautait sur la glace, la rondelle lui semblait très légère.

Parce qu'il aimait patiner, il aimait aussi marquer des buts. Tôt dans sa carrière, ce fut à la fois une bénédiction et une malédiction. Bénédiction parce que les marqueurs naturels ne poussaient pas dans les arbres, mais malédiction puisqu'au début des années 1960, quand Cournoyer tentait de faire son entrée dans la LNH, l'entraîneur Toe Blake, ne cachait pas sa préférence pour les joueurs qui se repliaient en défensive. Cournoyer savait bien qu'il s'agissait là d'un point faible dans son jeu.

Cournoyer a commencé sa carrière doucement, évoluant surtout sur l'attaque à cinq.
Il est plus tard devenu un marqueur de 30 buts régulier pour les Canadiens

Voici une des photos favorites de Ken Dryden, où il regarde calmement Cournoyer foncer avec le disque, sans craindre de le voir être mis en échec.

Yvan Cournoyer

Ailier droit 1963-1964 à 1978-1979

La vérité était, comme Scotty Bowman l'a plus tard découvert, que tant que Cournoyer marquait des buts, l'autre équipe n'avait pas la rondelle, si bien que le repli défensif perdait de sa valeur. Quoi qu'il en soit, Blake a intégré Cournoyer petit à petit, mais les frustrations ont côtoyé les récompenses.

Cournoyer a passé trois saisons complètes dans les rangs juniors, de 1961

LA SOIRÉE À CINQ BUTS

Le 15 février 1975, Yvan Cournoyer s'est joint à un groupe élite en marquant cinq buts dans le même match, remporté 12 à 3 sur Chicago. Le gardien Mike Veisor avait pris la relève de Tony Esposito, à qui on avait donné congé, mais Cournoyer se sentait particulièrement d'aplomb avant le match. La veille il avait joué au tennis, puis il avait fait une randonnée en ski de fond le matin du match. Quand il est entré au Forum, il était plein d'énergie et prêt pour le match. Même s'il n'a pas marqué en première période, il a inscrit un but en milieu de deuxième pour donner les devants 4 à 0 aux Canadiens. Il a marqué son deuxième en tout de fin de période et il a complété son tour du chapeau à la première minute en troisième. Son quatrième a été inscrit à mi-chemin dans la période et un cinquième avec quelques minutes à jouer. Bobby Rousseau (1964), Bernard Geoffrion (1955) et Maurice Richard (1944) ont précédemment réussi l'exploit. Le plus grand moment de la soirée pour Cournoyer est probablement survenu en fin de rencontre quand Scotty Bowman l'a envoyé dans la mêlée pour écouler un désavantage numérique de deux hommes, situation dans laquelle Cournoyer s'était rarement retrouvé!

Le capitaine Cournoyer effectue un tour de piste avec la coupe Stanley, une des 10 qu'il a remportées en 14 ans à Montréal.

à 1964. À sa troisième saison, il a obtenu un essai comme amateur au sein du club, signifiant qu'il pourrait jouer cinq matchs avec le Tricolore avant d'être assigné aux Canadiens Juniors de l'AHO. Cournoyer a marqué un but dans le premier match et il est reparti avec le club-école après avoir marqué quatre fois en cinq matchs. L'année suivante, il était dans la LNH pour de bon.

Blake l'a utilisé sporadiquement, principalement sur le jeu de puissance. Cournoyer a répondu de deux façons. D'abord, il marquait régulièrement malgré le peu de temps de jeu, puis il ne s'est pas plaint. Il a plutôt appris. En 1965-1966, il a inscrit 18 buts, dont 16 sur l'attaque à cinq. En 1966-1967, à sa troisième saison complète,

Un ailier droit qui tirait de la gauche, le « Roadrunner » fonce du revers, délaissant trois joueurs adverses dans ses traces.

Yvan Cournoyer

Ailier droit 1963-1964 à 1978-1979

il a marqué 25 buts, dont 19 en avantage numérique. Il menait la LNH à ce chapitre.

Quand Blake a quitté le club en 1968, Cournoyer était prêt à prendre plus d'espace et l'ailier droit a fleuri pour devenir un des meilleurs buteurs de son époque. On l'appelait le nouveau Maurice Richard, en partie parce qu'à l'image du « Rocket », il évoluait sur la droite et tirait de la gauche. Cela lui permettait toujours de profiter d'un angle avantageux.

La comparaison était bonne aussi parce que Cournoyer se métamorphosait en arme dangereuse dès qu'il entrait en zone adverse en possession de la rondelle. Bon joueur sur l'ensemble de la patinoire, il était sensationnel en territoire ennemi. Tout l'entraînement avec la rondelle d'acier a rapporté puisque Cournoyer possédait un des tirs les plus durs de la ligue, combiné à sa grande vitesse, il devenait difficile à contenir.

Cournoyer était béni d'une autre façon. Son joueur de centre pendant les sept premières années de sa carrière n'était nul autre que Jean Béliveau. « Le Gros Bill » tirait aussi de la gauche et passait aisément la rondelle sur sa droite, ce qui a permis à Cournoyer d'exceller à ses côtés. Claude Ruel et Al MacNeil, qui se sont plus tard succédé derrière le banc du Tricolore, ont utilisé Cournoyer plus souvent que leur prédécesseur.

Bien sûr, l'équipe a connu d'énormes succès au cours de cette période et le développement de Cournoyer n'a été qu'un des faits saillants au sein d'une équipe qui a remporté quatre coupes Stanley dans les années 1960. Bien que Cournoyer a joué un rôle moindre dans les deux premières conquêtes (1965 et 1966), il a été un important contributeur dans les victoires sur St-Louis en 1968 et 1969. Au cours de cette dernière année, il a inscrit 43 buts pour terminer au sixième rang du championnat des marqueurs.

Les années 1970 auront défini la grandeur et l'héritage de Cournoyer. Il a connu cinq saisons de 30 buts et de 70 points et a remporté six coupes Stanley. Il n'a jamais été plus impressionnant que lors des séries éliminatoires de 1973. D'abord, ses 15 buts ont abaissé le record de la LNH de 14 buts détenu par Frank Mahovlich. Ensuite, il s'est avéré

CANADIENS EN CHIFFRES
YVAN COURNOYER (« The Roadrunner »)

n. Drummondville, Québec, 22 novembre 1943
5'7"   178 lbs   ailier droit   lance de la gauche

	SAISON RÉGULIÈRE					SÉRIES ÉLIMINATOIRES				
	PJ	B	A	Pts	Pun	PJ	B	A	Pts	Pun
1963-1964	5	4	0	4	0	—				
1964-1965	55	7	10	17	10	12	3	1	4	0
1965-1966	65	18	11	29	8	10	2	3	5	2
1966-1967	69	25	15	40	14	10	2	3	5	6
1967-1968	64	28	32	60	23	13	6	8	14	4
1968-1969	76	43	44	87	31	14	4	7	11	5
1969-1970	72	27	36	63	23	—				
1970-1971	65	37	36	73	21	20	10	12	22	6
1971-1972	73	47	36	83	15	6	2	1	3	2
1972-1973	67	40	39	79	18	17	15	10	25	2
1973-1974	67	40	33	73	18	6	5	2	7	2
1974-1975	76	29	45	74	32	11	5	6	11	4
1975-1976	71	32	36	68	20	13	3	6	9	4
1976-1977	60	25	28	53	8	—				
1977-1978	68	24	29	53	12	15	7	4	11	10
1978-1979	15	2	5	7	2	—				
TOTAUX	968	428	435	863	255	147	64	63	127	47

Cournoyer a connu neuf saisons consécutives d'au moins 60 points (1967-1976) et il a été capitaine des Canadiens à ses quatre dernières saisons.

Le 12 novembre 2005, la carrière de Cournoyer est immortalisée quand le club a retiré son numéro 12 dans une cérémonie au Centre Bell.

intouchable contre Chicago en finale, frustrant l'entraîneur-chef adverse Billy Reay. C'est ainsi que le « Roadrunner » est devenu le premier ailier à remporter le trophée Conn-Smythe, décerné depuis 1965.

Un des plus grands honneurs lui a été fait en 1975 après la retraite de Henri Richard. Les joueurs présents au camp d'entraînement l'ont élu capitaine, un moment qu'il chérira pour toujours.

La grande dynastie de la fin des années 1970 a pris fin prématurément pour Cournoyer. Tôt dans la saison 1978-1979, il a subi une intervention au dos qui a mis fin à sa carrière. Il avait joué malgré une douleur insoutenable pendant des semaines, mais il n'était presque plus capable de marcher et en avait alors avisé les médecins de l'équipe. La chirurgie a été

réussie, mais son retour sur la patinoire aurait entraîné des risques néfastes à long terme sur sa santé. Cournoyer s'est sagement retiré.

Il a complété son parcours avec 10 coupes Stanley. Puisqu'il a cessé de jouer à l'âge de 36 ans au moment où il lui restait encore quelques belles années, il n'a pas pu franchir le cap des 1 000 matchs ou des 500 buts, mais ses réalisations figurent parmi les plus grandes de l'histoire du sport, sans compter sa réputation de gentilhomme sur la glace qui ne sera jamais ternie. Son numéro 12 a été retiré par les Canadiens le 12 novembre 2005, l'ultime honneur pour Cournoyer.

Ken Dryden
Gardien *1970-1971 à 1978-1979*

Pendant les arrêts de jeu, Dryden reposait son menton sur son gant appuyé sur le bout de son bâton, planté dans la glace pour maintenir l'équilibre, véritable version hockey du Penseur de Rodin.

La séance de sélection de la LNH est devenue un rendez-vous incontournable. L'événement attire des milliers de partisans et des centaines de jeunes espoirs du hockey. Être repêché est maintenant la façon commune pour un jeune joueur d'accéder à la LNH. À l'origine de cette pratique dans les années 1960, la sélection des joueurs se faisait dans les bureaux de la LNH à Montréal. Seuls les joueurs qui ne figuraient pas déjà sur la liste de négociation des équipes étaient disponibles. La plupart des meilleurs joueurs avaient signé une forme d'entente à leur 16e anniversaire de naissance, ce qui limitait le choix.

Au repêchage amateur de 1964, Boston a réclamé Ken Dryden, un Ontarien qui évoluait dans les rangs Junior B, au 14e rang. Dans ce qui semblait être une transaction sans envergure, les Bruins ont envoyé Dryden à Montréal avec Alex Campbell en retour de Guy Allen et de Paul Reid. Trois de ces joueurs n'ont jamais atteint la LNH. Le quatrième se retrouve maintenant au Temple de la renommée du hockey.

Enfant, Dryden rêvait de la LNH, mais il n'était pas seul. Son frère Dave, de six ans son aîné, partageait cette aspiration. Ce qu'il y a de particulier avec ces deux frères c'est qu'ils désiraient tous deux devenir gardiens. Ils devaient donc chacun se trouver un autre partenaire d'entraînement, puisque ni un, ni l'autre ne voulait retirer son équipement au profit de l'autre. Dave a mené par l'exemple et il s'est retrouvé dans la LNH avant que son frère ne soit réclamé par les Bruins.

Ken avait des visées académiques bien définies et en 1965, il a quitté l'Ontario pour étudier à l'Université Cornell. Il y est resté quatre ans, obtenant un diplôme en histoire et s'alignant avec l'équipe de hockey de l'école. Dryden était déjà très spectaculaire et en 1969, il se croyait prêt pour la LNH. Les Canadiens lui ont fait une offre substantielle, mais l'équipe nationale canadienne lui a fait une meilleure offre. Dryden a signé une entente de trois ans avec l'équipe nationale sous condition qu'il puisse s'inscrire à l'école de droit de l'Université McGill. L'affaire était dans le sac. Il a fait ses débuts avec Équipe Canada au championnat du monde de 1969, où il a blanchi les Américains à sa première sortie Il a joué toute la

ÉMOTIONS DE LA SÉRIE DU SIÈCLE

Ken Dryden et Tony Esposito ont chacun disputé quatre des huit matchs de la Série du siècle. Dryden a entrepris et a terminé la série et ces matchs ont été remplis d'émotions. Le 2 septembre 1972, dans le premier match à Montréal, les joueurs canadiens affrontaient un groupe de Soviétiques dont on ne savait pas grand-chose. Quand Phil Esposito a marqué le premier but après 30 secondes de jeu, tout le monde a cru que ce serait une partie de plaisir. Deux heures et demie plus tard, les Canadiens sifflaient, embarrassés au son de la sirène. Ils ont quitté la glace sans même serrer la main de leurs adversaires. Dryden n'avait jusqu'à maintenant jamais accordé sept buts en 60 minutes de hockey, peu importe le niveau. Quelque 26 jours plus tard, le Canada et les Soviétiques avaient chacun remporté trois matchs et fait match nul une fois. Le 28 septembre 1972, l'ultime rencontre était présentée à Moscou, possiblement le plus important match de l'histoire du hockey. Paul Henderson a joué les héros après avoir marqué et toute l'équipe a quitté le banc dans les célébrations. Dryden a plus tard raconté que le sentiment qu'il avait après le premier match avait été le pire de sa vie, tandis que l'exaltation d'avoir remporté le huitième match de la Série du siècle était simplement incomparable.

Ken Dryden

Gardien 1970-1971 à 1978-1979

saison 1969-1970 sur la scène internationale et les Canadiens lui ont présenté une nouvelle offre. Ils lui ont permis de terminer ses études et de disputer seulement les matchs à domicile des Voyageurs de la Nouvelle-Écosse, leur filiale de la Ligue américaine.

Rappelé pour les six derniers matchs de la saison 1970-1971, Dryden a remporté tous ses matchs, mais sa plus grande réussite aura été en première ronde des séries face aux Bruins de Boston, champions en titre. Ce club mettait en vedette Bobby Orr et Phil Esposito, mais Dryden était intraitable et les Bruins ont été éliminés en sept matchs, créant ainsi une des plus grandes surprises. Le grand gardien a poursuivi sur sa lancée face au Minnesota et à Chicago, portant les Canadiens vers la coupe malgré son inexpérience. Il est devenu le premier joueur à remporter le trophée Conn-Smythe avant le trophée Calder, qu'il recevra l'année suivante.

Les Bruins étaient tellement frustrés par le style de Dryden qu'Esposito l'a surnommé la pieuvre. Du haut de ses 6'4", Dryden se déplaçait avec une précision qui lui permettait de repousser des rondelles visant le coin ou en étirant le bout de la jambe pour stopper un but certain. Sa fameuse posture où il posait le menton sur le bout de son bâton pendant les arrêts de jeu a été qualifiée de version hockey du « Penseur » de Rodin. Ken Dryden n'avait que 24 ans et il était destiné à un brillant avenir.

La vie de joueur de hockey et celle de juriste luttaient pour l'attention de Dryden. Après avoir conduit le Tricolore à la coupe, Dryden est parti aux États-Unis pour travailler au sein d'un groupe dirigé par Ralph Nader visant à renverser la fausse publicité et à éradiquer la vente de produits au détail de qualité inférieure. L'automne venu, il retourna à Montréal pour reprendre là où il avait laissé. Dryden a joué 64 matchs et a signé 39 victoires, des sommets dans le circuit. Après seulement 70 matchs

CANADIENS EN CHIFFRES KEN DRYDEN

n. Hamilton, Ontario, 8 août 1947
6'4" 205 lbs gardien attrape de la gauche

		SAISON RÉGULIÈRE						SÉRIES ÉLIMINATOIRES				
	PJ	V-D-N	Mins	BC	BL	MOY	PJ	V-D-N	Mins	BC	BL	MOY
1970-1971 🏆	6	6-0-0	327	9	0	1,65	20	12-8	1 221	61	0	3,00
1971-1972	64	39-8-15	3 800	142	8	2,24	6	2-4	360	17	0	2,83
1972-1973 🏆	54	33-7-13	3 165	119	6	2,26	17	12-5	1 039	50	1	2,89
1973-1974	—	—	—	—	—	—	—	—	—	—	—	—
1974-1975	56	30-9-16	3 320	149	4	2,69	11	6-5	688	29	2	2,53
1975-1976 🏆	62	42-10-8	3 580	121	8	2,03	13	12-1	780	25	1	1,92
1976-1977 🏆	56	41-6-8	3 275	117	10	2,14	14	12-2	849	22	4	1,55
1977-1978 🏆	52	37-7-7	3 071	105	5	2,05	15	12-3	919	29	2	1,89
1978-1979 🏆	47	30-10-7	2 814	108	5	2,30	16	12-4	990	41	0	2,48
TOTAUX	397	258-57-74	23 352	870	46	2,24	112	80-32	6 846	274	10	2,40

Dryden n'a disputé que huit saisons dans la LNH, remportant six coupes Stanley et amassant un dossier impressionnant de 80-32 en séries éliminatoires.

d'expérience dans la LNH, il était déjà le meilleur portier du circuit. À la fin de la saison, on lui décerna le trophée Calder, remis à la recrue de l'année.

À l'automne 1972, Dryden est nommé au sein d'Équipe Canada pour la Série du siècle et après ce triomphe euphorique, il retourne à Montréal et connaît une autre saison du tonnerre. Il a de nouveau mené la ligue pour le nombre de victoires (33) et de jeux blancs (6) en plus de présenter la meilleure moyenne de buts alloués (2,26), en route vers son premier de six trophées Vézina. Juste au moment où il était sur le point de devenir le meilleur gardien de l'histoire, il a quitté le club à la suite d'un conflit. Dryden avait joué la première année d'un contrat de deux ans et il désirait une nouvelle entente, mais les Canadiens ont refusé de négocier. Dryden est donc resté chez lui pour se concentrer sur le droit pendant un an. Il s'est retrouvé à Toronto au sein du cabinet Osler, Hoskins, and Harcourt, mais ni lui, ni les Canadiens ne trouvaient leur bonheur dans cette situation. Dryden gagnait 80 000 $ par saison en 1972-1973, mais

à l'été de 1974, il a paraphé un contrat de trois ans évalué à 600 000 $.

Même si l'équipe a été éliminée en demi-finale cette année-là, Dryden s'est bien repris en menant le Tricolore à quatre conquêtes consécutives du précieux trophée.

Âgé de seulement 31 ans, Ken Dryden s'est retiré au sommet de la gloire, au printemps de 1979. Il avait remporté six coupes Stanley en huit ans, mais il désirait vivre une expérience hors des arénas, même si le hockey avait joué un rôle important de sa vie. Le hockey a continué de faire partie de sa vie, puisqu'il a rédigé « The Game », un livre à gros tirage qui décrit la vie des joueurs des Canadiens pendant leur glorieuse période.

Dryden est plus tard devenu président des Maple Leafs de

Un jeune Dryden prend le trophée le plus difficile à remporter au hockey avant même d'avoir disputé sa première saison complète comme recrue.

Ken Dryden
Gardien 1970-1971 à 1978-1979

Toronto avant de faire le saut en politique où il a été élu au début du 21e siècle. Son numéro 29 a été retiré par les Canadiens le 29 janvier 2007. Dryden peut avoir eu d'autres intérêts que le hockey et sa carrière a pu être trop courte au goût des amateurs, mais ce qu'il a offert au jeu est inégalé. Il a incarné à la fois un héros, une croyance que l'incroyable peut se produire et une cause à célébrer : le hockey.

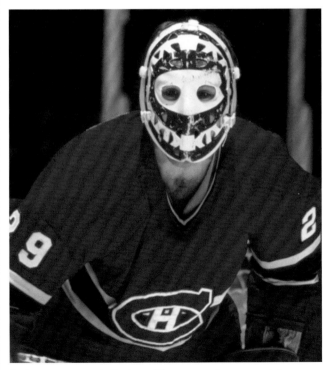

Premier véritable gardien de grande taille de la LNH, Dryden effectue l'arrêt sur un genou avec la tête toujours à la hauteur de la barre transversale.

Le fameux masque de Dryden a été un accessoire marquant de sa personnalité sur la glace.

Il est rare de voir des frères gardiens, mais avant que Ken atteigne la LNH, son frère Dave y a aussi évolué, sans toutefois connaître autant de succès.

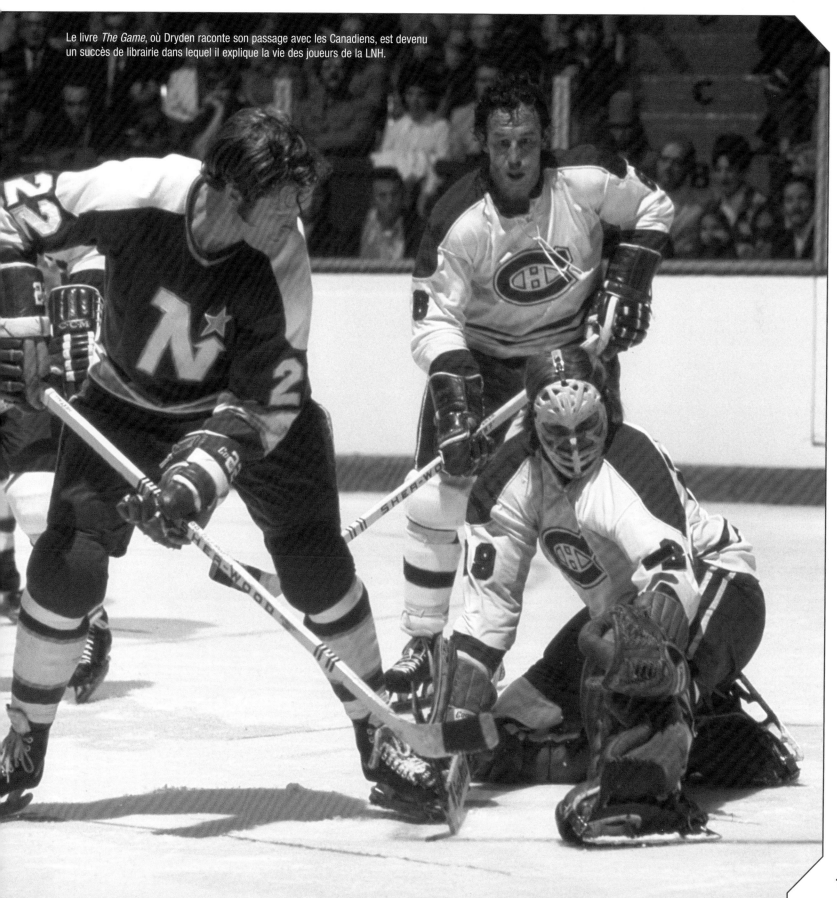

Le livre *The Game*, où Dryden raconte son passage avec les Canadiens, est devenu un succès de librairie dans lequel il explique la vie des joueurs de la LNH.

Jacques Lemaire

Centre 1967-1968 à 1978-1979

Sans être le plus gros joueur du circuit, Jacques Lemaire évoluait avec une intensité enracinée dans les grandes équipes de Montréal des années 1970, talentueuse et sans peur.

Jacques Lemaire n'a jamais rien anticipé dans sa carrière. D'ailleurs, personne ne sait d'où vient son surnom, « Coco », qu'il porte depuis ses années juniors. Il fonctionnait par instinct, réagissait et se faisait confiance. C'est ainsi qu'il a remporté huit coupes Stanley et a vécu une vie bien remplie dans le monde du hockey qui se poursuit à ce jour.

Lemaire a grandi dans un foyer de hockey. Ses quatre frères (Roger, Yvon, Daniel et Réjean) pratiquaient tous ce sport, si bien qu'il en a très tôt appris les rudiments. À l'instar d'Yvan Cournoyer dans la ville voisine de Lachine, Jacques Lemaire pratiquait son tir avec une rondelle d'acier, qui provenait d'un ami propriétaire d'une aciérie.

Lemaire s'est fait un nom avec les Canadiens Juniors de Montréal comme buteur et espoir au tir rapide et précis. Après trois ans dans

l'AHO (1963-1966), il a été cédé à Houston dans la Ligue centrale, pour ensuite faire le saut dans la LNH en 1967. Quand il a rejoint le Tricolore, il avait joué presque toute sa carrière au centre, mais l'équipe était déjà bien nantie à cette position. L'entraîneur Toe Blake l'a alors muté sur le flanc gauche. Toutefois, Henri Richard s'est blessé et Lemaire a été ramené au centre au cours de son absence et a été absolument sensationnel.

Avant la fin de sa saison recrue, Lemaire, qui évoluait sur un trio avec Dick Duff et Bobby Rousseau, avait marqué 22 buts, un total impressionnant à l'époque et signe d'un avenir brillant. Il n'a peut-être pas remporté le trophée Calder, remis à Derek Sanderson des Bruins,

CANADIENS EN CHIFFRES
JACQUES LEMAIRE

n. Lasalle, Québec, 7 septembre 1945
5'10" 180 lbs centre lance de la gauche

	SAISON RÉGULIÈRE					SÉRIES ÉLIMINATOIRES				
	PJ	B	A	Pts	Pun	PJ	B	A	Pts	Pun
1967-1968	69	22	20	42	16	13	7	6	13	6
1968-1969	75	29	34	63	29	14	4	2	6	6
1969-1970	69	32	28	60	16	—	—	—	—	—
1970-1971	78	28	28	56	18	20	9	10	19	17
1971-1972	77	32	49	81	26	6	2	1	3	2
1972-1973	77	44	51	95	16	17	7	13	20	2
1973-1974	66	29	38	67	10	6	0	4	4	2
1974-1975	80	36	56	92	20	11	5	7	12	4
1975-1976	61	20	32	52	20	13	3	3	6	2
1976-1977	75	34	41	75	22	14	7	12	19	6
1977-1978	76	36	61	97	14	15	6	8	14	10
1978-1979	50	24	31	55	10	16	11	12	23	6
TOTAUX	853	366	469	835	217	145	61	78	139	63

Lemaire était un leader et un joueur d'équipe hors pair, un professionnel dans tous les aspects du jeu.

Jacques Lemaire
Centre 1967-1968 à 1978-1979

mais Lemaire a mis la main sur une première coupe Stanley. Non seulement a-t-il fait partie de l'équipe championne, mais il a joué un rôle intégral dans la victoire. Les Canadiens ont éliminé Boston en quatre matchs en quarts de finale et ils ont affronté Chicago en demi-finale. En avance 3 à 1 dans la série, le cinquième match a nécessité la prolongation et c'est Lemaire qui a inscrit le but gagnant après 2 :14 minutes de jeu pour propulser les siens en finale. Encore une fois, Lemaire a marqué le but gagnant dans le premier match de la série ultime, remporté 3 à 2 en prolongation sur les Blues de St-Louis.

Au cours de sa première saison, Lemaire n'a passé que 16 minutes au banc de punition, une statistique aussi révélatrice que son nombre de buts marqués. Ses parents lui ont transmis l'importance du jeu propre pour connaître du succès, autant pour marquer des buts que pour être un modèle pour les jeunes qui suivaient le club. Il a respecté cette règle de son premier à son dernier match dans la ligue.

Troisième centre derrière Henri Richard et Jean Béliveau, Lemaire en soutirait certains avantages. D'abord, il ne recevait jamais la large part d'attention, si bien qu'il ne subissait jamais de pression de rendement. Ensuite, il a pu apprendre des meilleurs et il est plus tard devenu un leader pour la prochaine génération d'athlètes. De plus, en raison de la

Lemaire a remporté la coupe Stanley huit fois en 12 ans, ratant les séries éliminatoires seulement une fois en carrière.

Lemaire a été intronisé au Temple de la renommée du hockey en 1984 après s'être retiré en 1979 à 33 ans, au terme d'une carrière bien remplie.

La saison 1972-1973 a été la meilleure de Lemaire, avec 44 buts et 94 points en saison régulière et 20 points en 17 matchs des séries.

Jacques Lemaire
Centre 1967-1968 à 1978-1979

profondeur du club, Lemaire a pu se développer à un rythme plus lent, pour être prêt à reprendre le flambeau une fois Richard et Béliveau partis.

Au cours de ses 12 saisons dans la LNH avec les Canadiens, Lemaire n'a jamais inscrit moins de 20 buts et son total de points à sa première saison (42) a été sa plus faible production en carrière, puisqu'il n'est jamais allé sous la barre des 52 points par la suite. S'il était un modèle de régularité en saison régulière, il était l'incarnation même du joueur qui excellait en séries éliminatoires. En 145

matchs des séries, il a accumulé 139 points, soit presque un point par match, rythme que peu de joueurs ont su maintenir.

Plus important encore, Lemaire avait la distinction de figurer parmi une demi-douzaine de joueurs à avoir marqué deux buts gagnants pour la coupe Stanley. Dans son cas, le premier a été très spectaculaire, puisque marqué à 4 :32 de la prolongation du quatrième match de la finale de 1977 contre Boston. Il s'agissait de son troisième but gagnant en quatre matchs dans cette série finale, devenant ainsi le troisième joueur de l'histoire après Maurice Richard et Don Raleigh à avoir marqué plus d'un but en carrière en prolongation lors d'une série finale.

Lemaire est l'un des rares joueurs à avoir marqué deux buts gagnants de la coupe Stanley en carrière.

Le style bagarreur de Lemaire se manifestait par son esprit compétitif, non en laissant tomber les gants. S'il n'a jamais été puni plus de 29 minutes en une saison, sa conduite exemplaire n'était pas par manque d'agressivité.

En 1979, les Canadiens affrontaient les Rangers de New York en finale. Montréal était en avance 3 à 1 dans la série et l'équipe a remporté le cinquième match avec aisance, 4 à 1 au Forum. Le but de Lemaire en début de deuxième période a rompu l'égalité de 1 à 1, permettant aux Canadiens de signer un quatrième titre consécutif de la coupe Stanley et le huitième en carrière pour Lemaire.

Lemaire avait tout réalisé à ce point dans sa carrière. Il faisait partie de la meilleure équipe de son sport, il était au sommet de son talent et très bien payé. À seulement 33 ans, il a quitté la LNH pour aller jouer en Europe. Il était épuisé par l'exigence imposée sur lui et sa famille et

après avoir accompli tous ses rêves, il n'avait plus rien à gagner.

Lemaire a accepté une offre de trois ans du club de Sierre en Suisse pour jouer au sein de la formation et la diriger à titre de joueur-entraîneur. Cela lui a permis de connaître une culture différente et d'apprendre en douce le métier d'entraîneur, facilitant ainsi sa transition de joueur à dirigeant. Aucun discours n'aurait pu lui faire changer d'avis. C'est alors que « Coco » est passé de la LNH au hockey européen et de joueur à entraîneur.

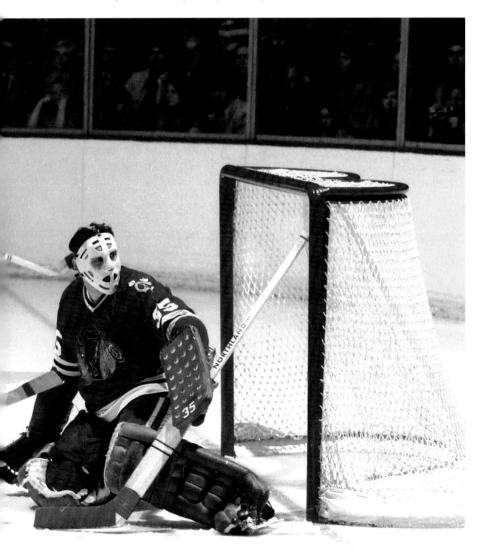

PROFESSION : ENTRAÎNEUR

Jacques Lemaire ne pouvait pas imaginer en 1979 quand il s'est retiré de la LNH, qu'il allait lancer une deuxième carrière comme entraîneur qui s'étirerait jusqu'à ce jour. Il a d'abord dirigé et joué deux ans à Sierre en Suisse, puis a dirigé les Canadiens une saison et demie. Après une longue pause où il a agi comme adjoint au directeur général du Tricolore, Lemaire est retourné derrière le banc au New Jersey où il a passé cinq saisons. En 1994-1995, il est devenu une des rares personnes à remporter la coupe Stanley comme joueur et entraîneur, menant les Devils au titre au terme d'une saison raccourcie par le lock-out. Depuis 2000, il dirige le Wild du Minnesota, étant le seul entraîneur de l'histoire de ce club. En 2007-2008, il a œuvré dans un 1 000e match de saison régulière, se joignant ainsi à un autre groupe exclusif.

Bert Olmstead

Ailier gauche 1950-1951 à 1957-1958

Même si Olmstead a d'abord joué à Chicago, puis à Détroit, il s'est ensuite joint aux Canadiens où il a remporté quatre coupes Stanley dans les années 1950.

En plus d'être une étoile sur la glace, Olmstead était populaire dans le vestiaire et un élément important de la chimie exceptionnelle de l'équipe.

CANADIENS EN CHIFFRES
BERT OLMSTEAD

n. Sceptre, Saskatchewan, 4 septembre 1926
6'1"   180 lbs   ailier gauche   lance de la gauche

	SAISON RÉGULIÈRE					SÉRIES ÉLIMINATOIRES				
	PJ	B	A	Pts	Pun	PJ	B	A	Pts	Pun
1950-1951	39	16	22	38	50	11	2	4	6	9
1951-1952	69	7	28	35	49	11	0	1	1	4
1952-1953 ⬥	69	17	28	45	83	12	2	2	4	4
1953-1954	70	15	37	52	85	11	0	1	1	19
1954-1955	70	10	48	58	103	12	0	4	4	21
1955-1956 ⬥	70	14	56	70	94	10	4	10	14	8
1956-1957 ⬥	64	15	33	48	74	10	0	9	9	13
1957-1958 ⬥	57	9	28	37	71	9	0	3	3	0
TOTAUX	508	103	280	383	609	86	8	34	42	78

Même s'il ne pouvait pas être confondu avec Maurice Richard ou Jean Béliveau, Olmstead faisait preuve d'une combinaison de férocité et de leadership qui définissait la signification de porter le chandail du CH.

Bert Olmstead exigeait beaucoup de ses coéquipiers, mais ces derniers ne pouvaient s'en plaindre puisqu'il était encore plus exigeant envers lui-même. Il n'a jamais été jamais capitaine des Canadiens, mais il était un leader avec une attitude gagnante chaque fois qu'il jouait. Personne n'a joué avec plus de détermination qu'Olmstead. Le jour où il a annoncé sa retraite, son nom était déjà gravé cinq fois sur la coupe Stanley.

Olmstead a entrepris sa carrière dans les rangs juniors à Moose Jaw en Saskatchewan, et il s'est retrouvé au sein de l'organisation de Chicago, effectuant ses débuts dans la LNH lors de la saison 1948-1949. L'année suivante, à sa première saison complète, Olmstead a inscrit 20 buts et

À son arrivée à Montréal, Olmstead a joué sur un trio avec Maurice Richard et Elmer Lach, où ils ont fait des merveilles.

Bert Olmstead
Ailier gauche 1950-1951 à 1957-1958

49 points, d'excellentes statistiques pour une recrue au sein d'une équipe de fond de classement. Avant la période des Fêtes de l'année suivante, les Hawks l'ont envoyé à Montréal, via Détroit en retour de Léo Gravelle. C'est donc avec les Canadiens qu'il a joué les sept saisons et demie suivantes sous le signe de la productivité.

Olmstead arrivait à Montréal au bon moment. Depuis la retraite de Toe Blake, quelques années auparavant, l'entraîneur Dick Irvin recherchait le meilleur joueur à gauche pour former un trio avec Maurice Richard et Elmer Lach. Il essaya Olmstead qui a réussi avec succès. Pendant plusieurs saisons dans les années 1950, il a été le deuxième meilleur ailier gauche du hockey, derrière Ted Lindsay.

Ce trio a mené Montréal à une conquête de la coupe Stanley en 1953 après avoir éliminé Chicago en sept matchs en demi-finale, puis

Olmstead aide le gardien Gerry McNeil tandis que Dick Duff tente sans succès de reprendre le disque.

Boston en cinq matchs en finale. Après la saison 1953-1954, Lach a pris sa retraite, mais le jeune Jean Béliveau arrivait si bien que le trio composé de Olmstead, Richard et Béliveau est devenu le plus craint de la ligue. Béliveau accordait toujours le crédit des succès du trio à Olmstead. Ce dernier était celui qui frappait et passait plutôt que de marquer et à chacune des saisons suivantes, il a occupé le premier rang des passeurs du circuit. Plus important encore, Olmstead était le leader du trio et il exigeait le dévouement et le bon positionnement de ses deux collègues de trio.

La valeur d'Olmstead pour l'équipe peut être mesurée par son plus important fait d'armes. Dans les huit années de séries éliminatoires avec Montréal, l'équipe a pris part à huit finales, dont quatre qui se sont soldées par une victoire. Il a de plus été nommé sur l'équipe d'étoiles deux fois (1953 et 1956), et il a pris part à quatre matchs des étoiles.

LONGUE ATTENTE POUR LE TEMPLE

Olmstead a quitté Montréal, puis Toronto avec une certaine amertume. Les Canadiens ont estimé qu'une blessure au genou l'avait ralenti et ils ne l'ont pas protégé en 1958. Les Leafs l'ont tout de suite réclamé au repêchage intraligue pour les aider à remporter la coupe en 1962. À nouveau libéré, ce sont les Rangers qui l'ont acquis, mais Olmstead a préféré se retirer avant le début de la saison plutôt que de se retrouver sur Broadway. Les années ont passé et beaucoup de coéquipiers d'Olmstead ont accédé au Temple de la renommée du hockey, notamment Richard, Béliveau, Dickie Moore, Bernard Geoffrion et Doug Harvey. Ce n'est qu'en 1985, dans la catégorie vétéran qu'il a été intronisé et il a refusé de laisser son amertume venir gâcher le moment. Son discours était empreint de gratitude et de persévérance. Il est vrai qu'il est entré au Temple plus tard qu'il l'aurait souhaité, mais maintenant il en sera toujours membre.

Al Rollins des Leafs ne peut effectuer l'arrêt pendant que Ted Kennedy couvre Bert Olmstead dans l'enclave. Olmstead a fait son entrée au Temple de la renommée du hockey en 1985.

Serge Savard

Serge Savard sort la rondelle de son territoire avec une fiabilité qui a fait sa marque de commerce.

Le gardien Ken Dryden laisse le disque à Serge Savard à côté du but. Savard, Larry Robinson et Guy Lapointe formaient le « Big Three » à la ligne bleue du Tricolore dans les années 1970.

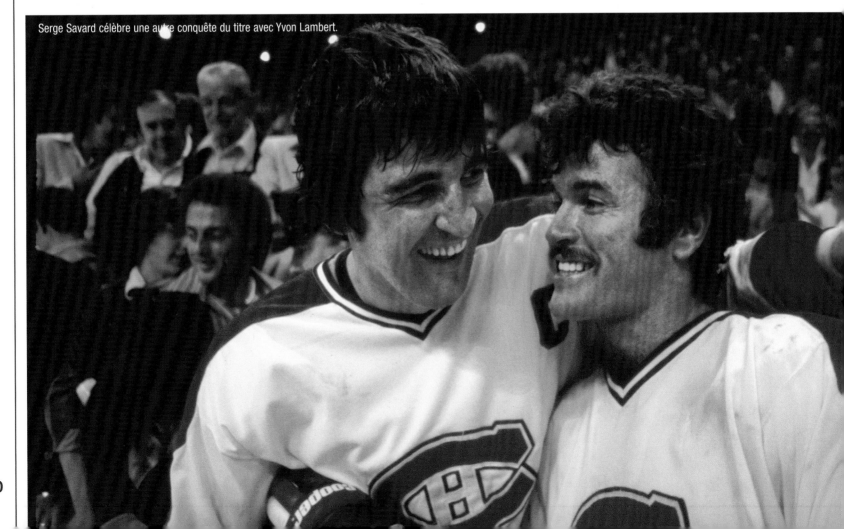

Serge Savard célèbre une autre conquête du titre avec Yvon Lambert.

La route empruntée par Serge Savard pour atteindre la LNH n'a pas été facile et même une fois à destination, il a presque vu sa carrière s'envoler avant d'atteindre son plein potentiel.

Garçon, Savard jouait à l'attaque, mais son entraîneur, Yves Nadon, a décidé de le rapatrier à la ligne bleue. C'était une décision heureuse, car Savard a rapidement été perçu comme un futur espoir. En 1966, prêt à poursuivre ses études et à pratiquer du hockey de haut calibre, il a accepté l'invitation du Père David Bauer pour se joindre à l'équipe nationale canadienne à Winnipeg. Avant même de partir, les Canadiens lui ont fait signer un contrat professionnel.

Cliff Fletcher était responsable du programme de développement du hockey mineur au Québec et quand l'entraîneur de Savard a indiqué que ce joueur n'arriverait jamais à rien, Fletcher a invoqué la politique montréalaise de la patience. Savard a été cédé aux Apollos de Houston et il y a élevé son jeu d'un cran, remportant le titre de recrue de l'année, puis méritant un rappel chez les As de Québec pour les séries éliminatoires et un séjour de deux matchs avec les Canadiens.

CANADIENS EN CHIFFRES
SERGE SAVARD (« Le Sénateur »)

n. Montréal, Québec, 22 janvier 1946
6'3"   210 lbs   défenseur   lance de la gauche

	SAISON RÉGULIÈRE					SÉRIES ÉLIMINATOIRES				
	PJ	B	A	Pts	Pun	PJ	B	A	Pts	Pun
1966-1967	2	0	0	0	0	—	—	—	—	—
1967-1968 🏆	67	2	13	15	34	6	2	0	2	0
1968-1969 🏆	74	8	23	31	73	14	4	6	10	24
1969-1970	64	12	19	31	38	—	—	—	—	—
1970-1971 🏆	37	5	10	15	30	—	—	—	—	—
1971-1972	23	1	8	9	16	6	0	0	0	10
1972-1973 🏆	74	7	32	39	58	17	3	8	11	22
1973-1974	67	4	14	18	49	6	1	1	2	4
1974-1975	80	20	40	60	64	11	1	7	8	2
1975-1976 🏆	71	8	39	47	38	13	3	6	9	6
1976-1977 🏆	78	9	33	42	35	14	2	7	9	2
1977-1978 🏆	77	8	34	42	24	15	1	7	8	6
1978-1979 🏆	80	7	26	33	30	16	2	7	9	6
1979-1980	46	5	8	13	18	2	0	0	0	0
1980-1981	77	4	13	17	30	3	0	0	0	0
TOTAUX	917	100	312	412	537	123	19	49	68	84

« Le Sénateur » s'est relevé de deux importantes fractures deux saisons de suite pour relancer sa carrière avec le Tricolore dans les années 1970, époque où le club a remporté six coupes Stanley.

Serge Savard

SÉNATEUR-DIRECTEUR GÉNÉRAL

Même si la plupart des partisans se souviennent de Serge Savard comme un des membres du « Big Three », d'autres peuvent avoir oublié que c'est sous sa direction que les Canadiens ont remporté la coupe en 1986 et 1993. Après avoir quitté Montréal et terminé sa carrière avec deux saisons à Winnipeg, sur l'invitation du directeur général des Jets et ancien coéquipier John Ferguson, Savard a été embauché comme directeur général du Tricolore en avril 1983. Depuis les quatre conquêtes de la coupe Stanley consécutives en 1979, le directeur général Sam Pollock s'était retiré et l'entraîneur-chef Scotty Bowman avait pris la direction de Buffalo. L'équipe ne jouait certainement pas bien et avait besoin d'un énorme ménage. Savard succédait à Irving Grundman, qui n'a pas connu les succès de Pollock. Toutefois, Savard a entrepris sa deuxième carrière dans des circonstances difficiles et il a entraîné une incidence immédiate. Sous sa direction, le club a repêché Patrick Roy en 1984 et deux ans plus tard, Roy a transporté le Tricolore jusqu'à la coupe Stanley. Savard a plus tard déclaré qu'il était tout aussi satisfait par cette victoire que celles qu'il a remportées comme joueur. Il a répété l'exploit en 1993, quand Roy a de nouveau offert un superbe rendement devant le filet pour signer la 24e conquête de la coupe Stanley des Canadiens.

Tout adolescent possède des talents et des défauts et Savard ne faisait pas exception. Certes, il était grand et fort, il patinait bien et gardait la forme, mais il était faible en défensive et son tir laissait à désirer, mais l'expérience et l'encadrement ainsi que l'entraînement et le travail acharné contribueraient à le sortir de l'impasse.

Savard a percé l'alignement du grand club au camp d'entraînement de 1967. Il était clairement prêt pour un rôle limité qui allait s'accroître avec les Canadiens, même qu'il a parfois été utilisé sur l'aile gauche quand les blessures limitaient les possibilités de l'entraîneur Toe Blake. À sa saison recrue, l'équipe a remporté la coupe Stanley et l'année suivante, non seulement a-t-elle réussi à nouveau à se rendre jusqu'au bout, mais Savard a remporté le trophée Conn-Smythe. Deux facteurs ont conduit à cet honneur. D'abord, il était le meilleur pour écouler les pénalités, puis il a contribué à l'attaque de façon opportune.

Comme plusieurs anciens joueurs l'avoueront, gagner la coupe Stanley comme entraîneur ou directeur général est plus palpitant que pour le joueur. Savard a réussi ce fait d'armes deux fois, en 1986, puis en 1993.

En demi-finale contre Boston, Savard a préparé les trois buts des siens dans un gain de 3 à 2 dans le premier match. Dans le match suivant, il a inscrit le but égalisateur en fin de troisième et a préparé le but gagnant en prolongation. Dans le sixième match, il a marqué le but égalisateur en troisième période, préparant une autre victoire en prolongation. Au total Savard aura marqué quatre buts et récolté 10 points au cours de ces séries.

Les trois années suivantes ont été très éprouvantes pour Savard puisque sa carrière a semblé prendre fin à plusieurs occasions. Le 1er mars 1970, Savard a subi une quintuple fracture à la jambe après être entré en collision avec le but en plongeant pour tenter d'empêcher Rod Gilbert des Rangers alors qu'il s'amenait seul au filet. Savard a subi trois interventions pour réparer sa jambe qui a été immobilisée dans un plâtre pendant trois mois.

Savard a persévéré et est revenu au jeu, mais seulement 37 matchs plus tard, la saison suivante, il s'est à nouveau fracturé la même jambe dans une collision au centre de la patinoire. Les médecins ont du prendre un os de sa hanche pour stabiliser sa jambe et lui permettre de guérir. Savard a du attendre une année et demie pour rebâtir la force dans sa jambe, mais il n'a plus été le même après être finalement revenu au jeu. L'époque des montées à l'emporte-pièce et du jeu frivole était révolue et il s'est concentré à un jeu de position solide ainsi qu'à une contribution offensive plus modeste.

Harry Sinden a nommé Savard au sein d'Équipe Canada pour la Série du siècle de 1972 et il semblait que ce dernier allait revenir au jeu aussi bon qu'auparavant. Dans le troisième match de la série, à Winnipeg, il s'est fracturé un os de la cheville droite. Il a raté le cinquième match et les médecins lui ont demandé de se reposer et de récupérer en vue de la longue saison dans la LNH. Savard a refusé et il a rejoint l'équipe en Suède, mais a raté les deux matchs hors-concours ainsi que le cinquième match avant de disputer les trois dernières rencontres de la série, toutes des victoires historiques. Savard a joué cinq matchs au total et a été le seul Canadien à ne pas connaître la défaite (quatre victoires et un match nul).

Dans le dernier match de la tournée, Savard a marqué le but égalisateur à la dernière minute de jeu dans un verdict nul de 3 à 3 contre une équipe d'étoile tchèque à Prague.

Il est rentré à Montréal et a disputé neuf autres saisons avant d'être rattrapé par l'âge. Au moment d'annoncer sa retraite, Serge Savard avait remporté huit coupes Stanley, devenant le défenseur le plus titré de l'histoire. Il a aussi pris part à quatre matchs des étoiles. Incroyable, mais vrai, il a été nommé une seule fois au sein de la deuxième équipe d'étoiles en 1979. Cette saison-là, il a aussi remporté le trophée Masterton pour souligner son retour au jeu après les deux horribles blessures à la jambe.

Savard a été le seul joueur de la Série du siècle de 1972 à ne pas avoir perdu de match (quatre victoires et une nulle).

Jacques Laperrière
Défenseur 1962-1963 à 1973-1974

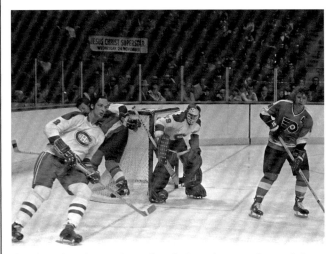

Grand et mince Jacques Laperrière n'est pas devenu un joueur de la LNH du jour au lendemain, mais il a su y faire sa place.

Les Canadiens sont un véritable modèle de patience et de régularité. Au fil des saisons, le club a su évaluer le talent, mais c'était aussi le cas des cinq autres équipes. Ce qui distinguait le Tricolore était une discipline à respecter la stratégie établie.

Pensons aux défenseurs. Les Canadiens préféraient des athlètes grands, minces et forts, affirmant qu'une combinaison de gabarit et d'aptitudes avait plus de succès que les petits défenseurs talentueux. De plus, l'organisation savait que la LNH était l'étape finale pour tous les joueurs et elle désirait offrir aux athlètes toutes les possibilités de se développer et de commettre des erreurs avant d'entrer dans le meilleur circuit du monde.

À l'été 1961, l'équipe vivait un dilemme. Son grand leader Doug Harvey

Si la rondelle était sur le bâton de Laperrière dans son territoire, ses coéquipiers pouvaient s'attendre à ce qu'elle en ressorte très rapidement, tant il était fiable en défensive.

était en route vers New York pour se joindre aux Rangers et aucun défenseur de premier plan n'était prêt à prendre la place. Chacun savait que Jacques Laperrière remplirait ce rôle, mais il n'était âgé que de 19 ans après trois saisons dans les rangs juniors.

Deux ans plus tard, Laperrière s'est présenté au camp à 6'2" et 180 livres. Il était jeune, talentueux et prêt pour la LNH et quand il a eu l'occasion de jouer régulièrement en 1963-1964, il a de nouveau fait passer ses patrons pour des génies.

À la fin de la saison, Laperrière a reçu le trophée Calder tandis que le Tricolore était de retour dans la course pour la coupe Stanley après quelques saisons de disette. Bien sûr, Laperrière était différent de Harvey.

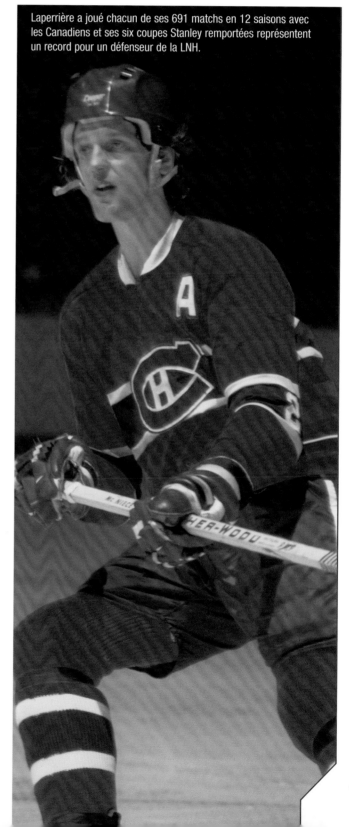

Laperrière a joué chacun de ses 691 matchs en 12 saisons avec les Canadiens et ses six coupes Stanley remportées représentent un record pour un défenseur de la LNH.

CANADIENS EN CHIFFRES
JACQUES LAPERRIÈRE

n. Rouyn, Québec, 22 novembre 1941
6'2"   180 lbs   défenseur   lance de la gauche

| | SAISON RÉGULIÈRE | | | | | SÉRIES ÉLIMINATOIRES | | | | |
	PJ	B	A	Pts	Pun	PJ	B	A	Pts	Pun
1962-1963	6	0	2	2	2	5	0	1	1	4
1963-1964	65	2	28	30	102	7	1	1	2	8
1964-1965 🏆	67	5	22	27	92	6	1	1	2	16
1965-1966 🏆	57	6	25	31	85	—				
1966-1967	61	0	20	20	48	9	0	1	1	9
1967-1968 🏆	72	4	21	25	84	13	1	3	4	20
1968-1969 🏆	69	5	26	31	45	14	1	3	4	28
1969-1970	73	6	31	37	98	—				
1970-1971 🏆	49	0	16	16	20	20	4	9	13	12
1971-1972	73	3	25	28	50	4	0	0	0	2
1972-1973 🏆	57	7	16	23	34	10	1	3	4	2
1973-1974	42	2	10	12	14	—				
TOTAUX	691	40	242	282	674	88	9	22	31	101

Jacques Laperrière
Défenseur 1962-1963 à 1973-1974

La recrue était davantage portée à rester dans son territoire, ce qui convenait à l'entraîneur Toe Blake qui avait une abondance d'attaquants talentueux qui pouvaient marquer des buts, de Jean Béliveau à « Boom Boom » Geoffrion, Henri Richard, Bobby Rousseau et Dick Duff. Avec le temps, Laperrière est aussi devenu un morceau important de l'attaque de l'équipe, pas aussi dominant que Harvey, mais certainement suffisamment pour être qualifié de surdoué de l'attaque.

À sa deuxième saison complète, le Tricolore a remporté la coupe grâce à un gain de 4 à 0 dans le septième match au Forum contre Chicago. Les Canadiens ont défendu leur titre avec succès l'année suivante, cette fois après avoir balayé Toronto en quatre matchs en demi-finale, puis en éliminant les Red Wings en six matchs en finale. Cette deuxième coupe Stanley était doublement satisfaisante du fait que Laperrière a aussi remporté le trophée Norris cette année-là. À une époque où les joueurs offensifs remportaient ce prix, c'était un grand honneur d'être pris en compte pour son jeu défensif plutôt que son jeu offensif.

Laperrière a remporté la coupe à nouveau en 1968, 1969, 1971 et 1973, mais il a été forcé à prendre sa retraite à mi-chemin la saison suivante après avoir subi une grave blessure au genou dans un match contre Boston le 19 janvier 1974. Malgré tout, au cours de sa carrière de 12 saisons, il a remporté six coupes Stanley et il a défini le rôle et le jeu d'un défenseur. Laperrière est passé maître dans la prévention des occasions de marquer et même s'il n'était pas un spécialiste de la contre-attaque comme Harvey, il brillait pour sortir la rondelle de son territoire. Il jouait souvent contre les joueurs étoiles adverses et il était habituellement sur la glace en situation de désavantage numérique. Bien que personne ne puisse l'accuser d'être spectaculaire, il représentait aussi l'essence même du jeu de position.

« CE N'EST PAS DU HOCKEY »

Quand Laperrière a mis fin à sa carrière à la suite d'une blessure au genou, il n'était pas prêt à quitter le hockey pour autant. Il est alors devenu entraîneur adjoint chez les Canadiens Juniors. Au cours de sa deuxième saison, il a toutefois quitté l'équipe par dégoût à la suite d'une affreuse bagarre au Forum dans un match contre Sorel. 'Ce n'est pas du hockey', a-t-il dit et il est parti. Il a pris congé, mais il a rejoint l'équipe de la LNH en 1980 comme adjoint au directeur général et plus tard comme entraîneur adjoint. Il a connu du succès dans ce rôle et au cours des 16 années suivantes, il est demeuré derrière le banc à travailler avec les défenseurs et a remporté deux autres coupes Stanley en 1986 et 1993. On lui a crédité le développement de plusieurs des jeunes défenseurs inexpérimentés, notamment Craig Ludwig et Chris Chelios.

Laperrière reçoit le trophée Calder de recrue de l'année en 1963-1964.

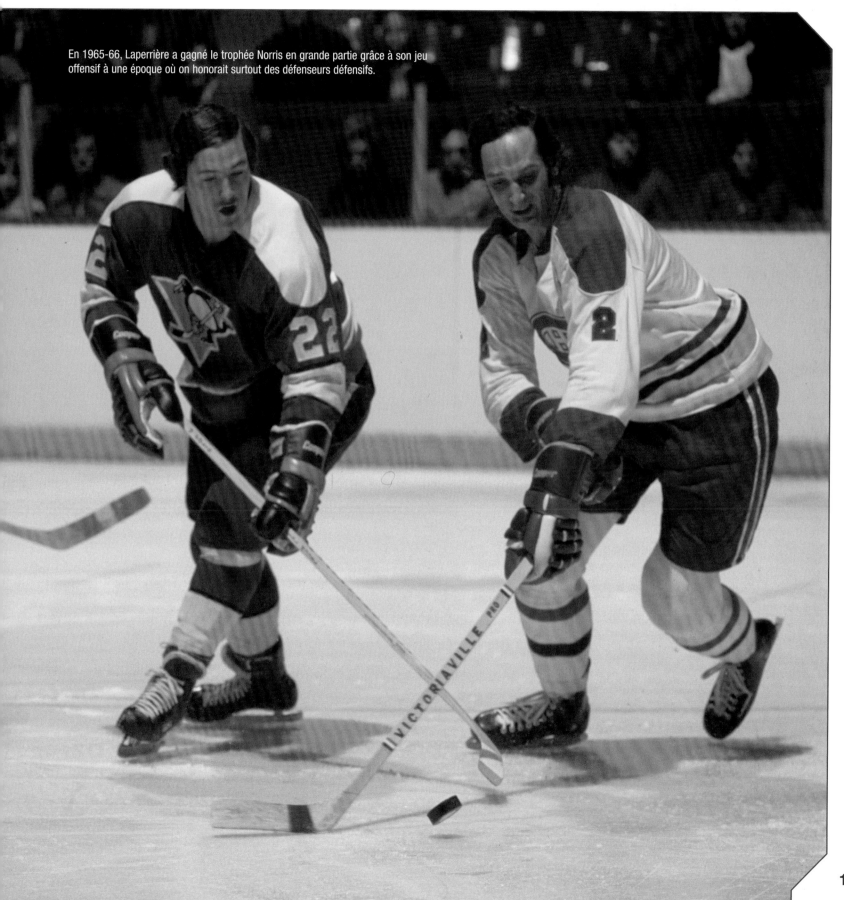

En 1965-66, Laperrière a gagné le trophée Norris en grande partie grâce à son jeu offensif à une époque où on honorait surtout des défenseurs défensifs.

Guy Lafleur
Ailier droit 1971-1972 à 1984-1985

Le caractère et la personnalité du Démon Blond ont semblé décoller quand il a retiré son casque en début de carrière.

Très peu de joueurs pouvaient descendre sur l'aile droite et tirer un boulet en mouvement avec la précision et la vitesse de Guy Lafleur.

L'arrivée de Guy Lafleur avec les Canadiens de Montréal a été un des grands moments de la carrière du directeur général Sam Pollock. Lafleur était de loin le meilleur espoir du repêchage amateur de 1971 et les Kings de Los Angeles semblaient certains de réclamer le premier choix universel tellement l'équipe était faible en 1970-1971. Cela frustrait Pollock puisque les Canadiens possédaient le premier choix des Seals de la Californie, une équipe qu'il croyait capable de terminer au dernier rang. Rusé, le directeur général du Tricolore a échangé le vétéran Ralph Backstrom aux Kings en retour de deux espoirs des ligues mineures. Backstrom amassa presque un point par match

à Los Angeles, aidant l'équipe à grimper au classement et repoussant par le fait même la Californie au dernier rang. Les Canadiens ont donc pu mettre la main sur Lafleur.

Guy Lafleur a fait sa marque au sein du circuit junior québécois comme aucun autre auparavant. En cinq saisons juniors, il est devenu le plus grand marqueur de l'histoire du circuit, amassant 130 buts et 209 points en 62 matchs en 1970-1971, une moyenne supérieure à deux buts et trois points par match.

À Montréal, Jean Béliveau venait d'annoncer sa retraite et le club avait besoin d'un joueur de renom pour reprendre le flambeau. L'équipe a

même suggéré que Lafleur porte le numéro 4, mais il a refusé, en partie par respect, en partie parce qu'il préférait ne pas avoir de pression ajoutée à sa saison recrue, en étant tout de suite comparé à l'un des plus grands joueurs de l'histoire.

Les trois premières saisons de Lafleur dans le circuit ont été bonnes. Il a inscrit 29, 28 et 21 buts, mais il était encore loin de brûler la ligue comme dans les rangs juniors. Il a remis son talent en question quand les partisans s'impatientaient à son endroit. Ces derniers croyaient que s'il était le prochain Béliveau, il aurait dû marquer 50 buts à sa première saison. Lafleur avait besoin de temps, pour apprendre et pour se bâtir une confiance dans la LNH, ainsi que pour grandir en maturité. On doutait aussi de sa ténacité. Les partisans, les critiques et les adversaires se demandaient s'il était peureux parce qu'il n'aimait pas fréquenter les coins de patinoire et il ne laissait jamais tomber les gants. À son quatrième camp d'entraînement, Lafleur a laissé tomber le casque qu'il portait depuis les rangs juniors et au début de sa carrière professionnelle. Le résultat a été époustouflant.

Reconnu davantage pour son tir que pour son maniement de rondelle près du but, Lafleur était capable de loger le disque dans le filet adverse à partir de presque partout sur la patinoire.

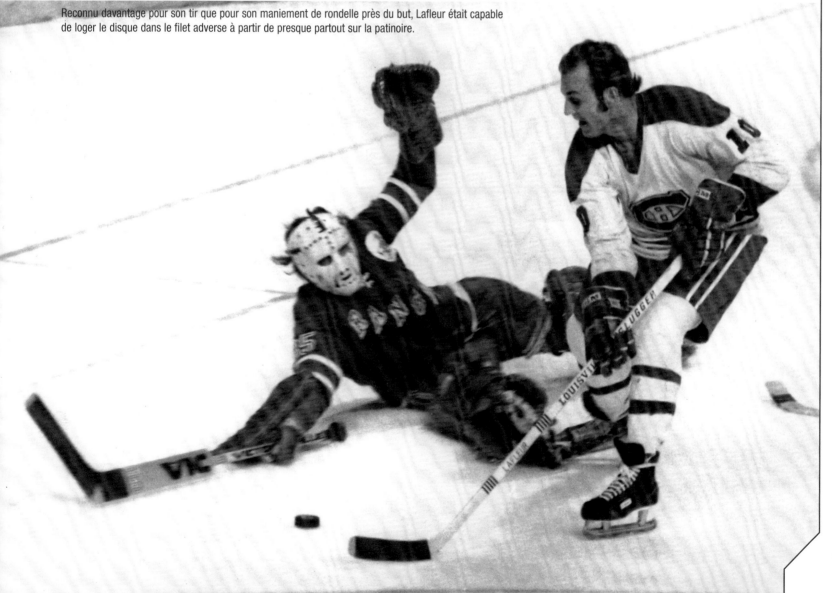

Guy Lafleur
Ailier droit 1971-1972 à 1984-1985

D'un point de vue esthétique, les partisans adoraient les longs cheveux blonds de Lafleur qui volaient au vent quand il détalait sur l'aile droite. Un joueur sans casque semblait aussi ajouter à la poésie et au brio d'une grande

RETOUR AU FORUM

Avec le recul, on peut affirmer que Guy Lafleur n'était pas prêt à quitter le hockey quand il a annoncé sa retraite. Quatre ans après avoir quitté le jeu et à quelques jours de son intronisation au Temple de la renommée, Lafleur était de retour sur la glace pour préparer un retour dans l'uniforme des Rangers de New York. Dans un des plus grands moments non rattachés au Tricolore dans l'histoire du Forum, Lafleur a marqué deux de ses 18 buts cette saison-là pour mener les Rangers à un gain de 7 à 5 sur Patrick Roy et les Canadiens sur une patinoire qui a longtemps été la sienne. Les spectateurs montréalais scandaient son nom chaque fois qu'il sautait sur la glace. Il est devenu seulement le deuxième joueur après Gordie Howe à jouer dans la LNH après avoir été intronisé au Temple de la renommée. Sa carrière a pris fin pour de bon en 1989 après avoir signé avec les Nordiques de Québec avec qui il a joué deux saisons. Certains partisans qui ne connaissaient pas Lafleur ont vu le passage de Lafleur aux ennemis jurés des Canadiens comme un acte de traîtrise, mais en vérité, Lafleur a conclu sa carrière au Colisée, là où elle avait vraiment commencé.

vitesse. Béliveau lui a rappelé de rester calme et de se concentrer à bien jouer. Les buts viendraient par la suite.

Béliveau avait raison. Lafleur est passé de 21 buts et 56 points à sa troisième saison à 53 buts et 119 points en 1974-1975. En séries éliminatoires, il a marqué 12 buts, un sommet, passant de la recrue qui peinait à une des menaces offensives les plus talentueuses et craintes de la LNH. Là où il ne répliquait pas à coups de poing, il le faisait à coups de buts.

Les quatre années suivantes ont été historiques pour Lafleur et les Canadiens qui ont remporté la coupe Stanley à chaque occasion. Si Ken

CANADIENS EN CHIFFRES
GUY LAFLEUR (« Le Démon blond »)

n. Thurso, Québec, 20 septembre 1951
6' 185 lbs   ailier droit   lance de la droite

	SAISON RÉGULIÈRE					SÉRIES ÉLIMINATOIRES				
	PJ	B	A	Pts	Pun	PJ	B	A	Pts	Pun
1971-1972	73	29	35	64	48	6	1	4	5	2
1972-1973	69	28	27	55	51	17	3	5	8	9
1973-1974	73	21	35	56	29	6	0	1	1	4
1974-1975	70	53	66	119	37	11	12	7	19	15
1975-1976	80	56	69	125	36	13	7	10	17	2
1976-1977	80	56	80	136	20	14	9	17	26	6
1977-1978	78	60	72	132	26	15	10	11	21	16
1978-1979	80	52	77	129	28	16	10	13	23	0
1979-1980	74	50	75	125	12	3	3	1	4	0
1980-1981	51	27	43	70	29	3	0	1	1	2
1981-1982	66	27	57	84	24	5	2	1	3	4
1982-1983	68	27	49	76	12	3	0	2	2	2
1983-1984	80	30	40	70	19	12	0	3	3	5
1984-1985	19	2	3	5	10	—	—	—	—	—
TOTAUX	961	518	728	1 246	381	124	57	76	133	67

Dryden jouait un rôle important et que le « Big Three » était essentiel à la ligne bleue, le moteur de réussite était Lafleur. Sa vitesse explosive sur la droite, son tir dévastateur et ses passes savantes terrorisaient les défenseurs et les gardiens adverses.

Ce n'est pas par coïncidence que Lafleur a connu ses meilleurs moments durant cette période. Il a marqué au moins 50 buts et récolté 125 points par saison de 1975 à 1980, remportant le championnat des marqueurs trois années de suite (1975-78). Il a aussi remporté le prix Lester-B.-Pearson au cours de ces trois saisons ainsi que le trophée Hart en 1977 et 1978. Il a mené les marqueurs en séries de 1977 à 1979 et a remporté le trophée Conn-Smythe au printemps 1977 après avoir récolté 26 points en séries éliminatoires.

Non seulement Lafleur a-t-il fait partie de ces équipes championnes, la plupart du temps il était la principale raison de leurs succès. Dans le match décisif des quarts-de-finale contre Vancouver en 1975, Lafleur a marqué le but gagnant en prolongation. Le 11 avril 1977, dans un match des séries contre St-Louis, Lafleur a égalisé un record de la LNH avec six points dans un gain de 7 à 2. Le 16 mai 1978, Lafleur a marqué le but gagnant en prolongation dans le deuxième match de la finale contre Boston pour donner les devants 2 à 0 au Tricolore dans la série. Dans le septième match de la demi-finale contre Boston en 1979, son but mémorable a égalisé la marque en fin de troisième période, permettant plus tard aux siens remporter le match et la série en prolongation.

En mai 1978, Lafleur a écrit l'histoire à sa façon quand il a subtilisé la coupe Stanley pour l'installer sur son terrain à Thurso, sa ville natale, pendant un week-end au grand plaisir de ses parents et amis. Situation anodine au partisan contemporain, ce type de privilège n'était pas accordé à l'époque.

Lafleur a été le premier joueur à marquer 50 buts et à récolter 100 points six saisons de suite. Il a été le plus jeune joueur à franchir le cap des 400 buts en carrière et il a obtenu 1 000 points à seulement son 720e match dans la LNH, devenant ainsi le plus rapide à y arriver. Tout a été

bouleversé aux petites heures du 25 mars 1981 après qu'il se soit endormi au volant de sa voiture de retour d'une soirée de fête. Sa Cadillac a frappé un poteau et il a été chanceux d'avoir survécu à l'accident. Bien qu'il ait changé son style de vie, il n'a plus marqué 50 buts et récolté 100 points par saison et il n'a plus remis la main sur la coupe Stanley.

Lafleur a annoncé sa retraite au début de la saison 1984-1985. Il avait connu un mauvais début de saison et était de moins en moins utilisé. Trop fier pour voir son étoile pâlir à petit feu, il a quitté en ne laissant que d'excellents souvenirs aux partisans. Meilleur passeur et pointeur de l'histoire du club, il a garanti sa place dans l'histoire de la ville et du hockey. Les Canadiens ont organisé une soirée spéciale en son honneur au Forum et ont retiré son maillot numéro 10. Il a tout remporté ce qui pouvait être remporté, mais il n'a ironiquement jamais reçu le trophée Lady Byng malgré ce qu'il a enduré sans répliquer tout au long de sa carrière. Lafleur était un des très rares joueurs au talent exceptionnel dans les rangs juniors à poursuivre sur cette lancée dans la LNH.

Lafleur a mené les marqueurs de la ligue autant en raison de ses passes que de son tir, trouvant souvent un joueur libre dans une situation difficile ou à travers une meute de joueurs.

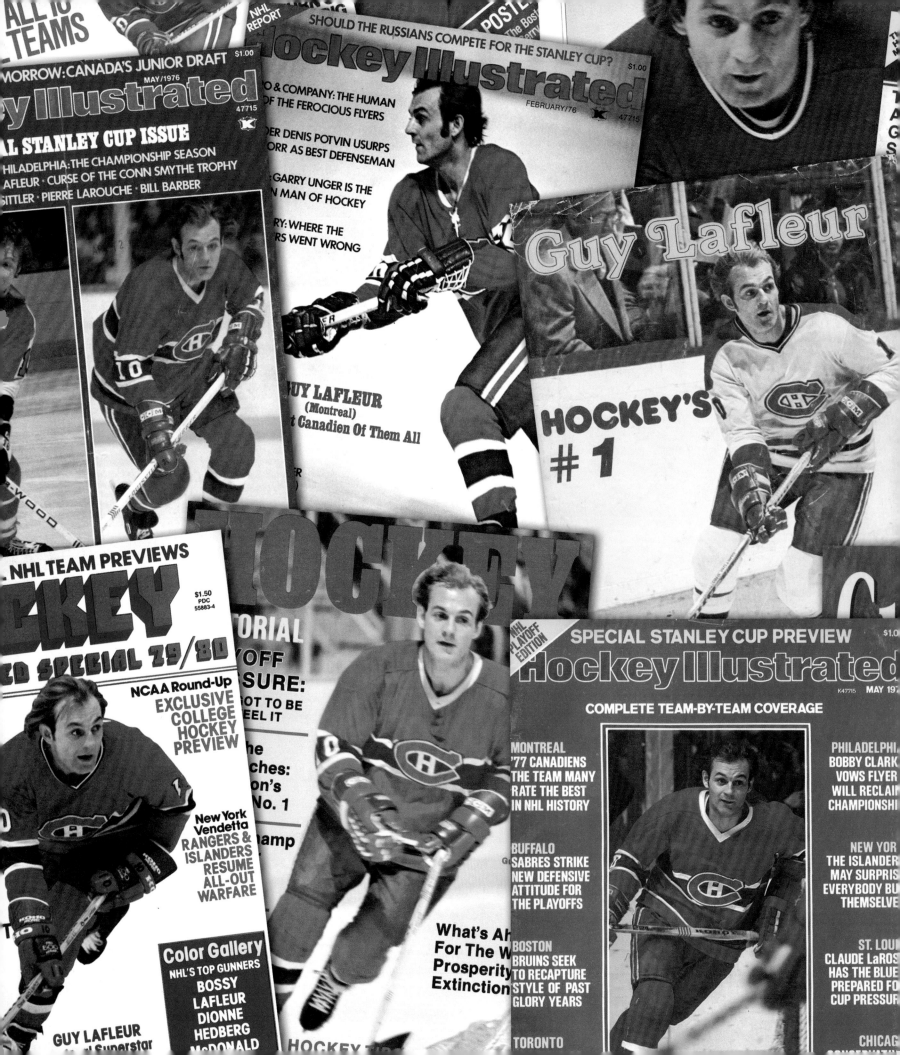

Herbert « Buddy » O'Connor

Centre 1941-1942 à 1946-1947

La vie et la carrière de « Buddy » O'Connor sont tellement plus riches que ses statistiques l'avancent. Gentilhomme et sympathique comme pas un, il ne jurait jamais, il ne buvait pratiquement pas et jouait avec une conduite si courtoise qu'il a remporté le trophée Lady-Byng en 1948.

Selon les observateurs de l'époque, O'Connor a offert un rendement supérieur dans les rangs senior avant son arrivée à la LNH. Il a joué sept saisons avec les Royaux de Montréal (1934-1941), atteignant les séries éliminatoires de la coupe Allan à cinq occasions au cours de cette période. Si le hockey senior vivait des jours heureux, les Canadiens connaissaient leurs pires moments. Les Royaux attiraient régulièrement 13 000 spectateurs le samedi après-midi alors que les Canadiens étaient chanceux d'en accueillir 4 000 en soirée.

O'Connor pivotait un trio surnommé la « Razzle Dazzle Line » avec Pete Morin et Gerry Heffernan. Le Tricolore a tellement été impressionné par ce trio qu'il les a tous mis sous contrat et les a utilisés ensemble en 1941-1942. O'Connor a connu un parcours digne du Temple de la renommée avec les Canadiens, puis chez les Rangers de New York. Morin s'est joint à l'armée l'année suivante et n'est jamais revenu, tandis que Heffernan est retourné avec les Royaux après une seule saison avec les Canadiens.

Malgré le fait qu'il jouait très bien au centre, O'Connor a eu de la difficulté à obtenir la reconnaissance qu'il méritait. Après le démantèlement de la « Razzle Dazzle Line », il a été muté au sein du deuxième trio, derrière la « Punch Line » de Maurice Richard, Elmer Lach et Toe Blake. Les Canadiens ont remporté la coupe Stanley en 1944 et 1946 et O'Connor est resté le deuxième joueur de centre de l'équipe. Heffernan a été rappelé avec les

Canadiens pour la saison 1943-1944 et il a inscrit 28 buts aux côtés d'O'Connor qui a accumulé 54 points. C'était le dernier tour de piste ensemble pour deux des trois membres de la « Razzle Dazzle Line ».

La véritable mesure de la valeur d'O'Connor a été dévoilée dans les séries éliminatoires de 1947. Avant la fin de la saison régulière, O'Connor a accidentellement reçu un coup du bâton de Bill Juzda, un défenseur des

L'excellent jeu d'O'Connor au centre chez les Royals de Montréal dans les rangs seniors lui a ouvert les portes avec les Canadiens.

INTRONISÉ EN 1988

Rangers qui voulait frapper un autre joueur des Canadiens pendant une bagarre, mais c'est O'Connor qui a reçu l'impact du coup et a subi une fracture de la mâchoire. Cependant, il est revenu au jeu en finale contre Toronto et il a participé à six des 13 buts de l'équipe, qui a toutefois perdu la série en six matchs.

À la fin de la saison, le directeur général Frank Selke a envoyé O'Connor aux Rangers en compagnie de Frank Eddolls en retour de Hal Laycoe, Joe Bell et George Robertson. Plus tard Selke a reconnu qu'il s'agissait de sa pire transaction à vie et il avait bien raison. Le Tricolore a connu de mauvaises années au cours des saisons suivantes, tandis que les Rangers ont progressé, participant à la finale de la coupe Stanley en 1950.

Il a fallu plusieurs années à O'Connor pour arriver à la LNH, mais il lui a fallu encore plus longtemps pour accéder au Temple de la renommée du hockey. En raison de son grand nombre d'années de succès dans les rangs seniors, puis sous le radar à son entrée dans la LNH, O'Connor a attendu plusieurs décennies avant d'être reconnu à sa juste valeur par le comité de sélection. Heffernan et Selke fils ont chacun fait parvenir une pétition à Danny Gallivan – membre de ce comité – pour qu'O'Connor soit honoré dans la catégorie des vétérans, qui a plus tard été abolie après avoir servi son but. En 1988, O'Connor a fait son entrée au Temple à titre posthume.

GAGNANT DU TROPHÉE HART

O'Connor aimait Montréal, car après tout c'était sa ville natale et les partisans lui ont retourné ce sentiment. Quand on l'a échangé aux Rangers, il était à la fois choqué et déçu, mais il a continué à jouer avec la passion et la persévérance qui le caractérisaient. À sa première année à New York, O'Connor a amassé 60 points, soit un de moins qu'Elmer Lach, gagnant du trophée Art-Ross et ancien coéquipier à Montréal. O'Connor a toutefois remporté le trophée Hart et le trophée Lady-Byng. Il a aussi été nommé au sein de la deuxième équipe d'étoiles et athlète masculin de l'année au Canada. En quatre saisons chez les Rangers, O'Connor a inscrit 62 buts, sans démontrer de signes de ralentissement. Il a fait face à son ancienne équipe en séries en 1950 quand les Rangers ont éliminé le Tricolore en cinq matchs, ce qui était une énorme surprise considérant que Montréal avait terminé deuxième et New York quatrième. Les Rangers ont perdu la finale au profit de Détroit, marquant la première conquête de la coupe Stanley soldée en prolongation dans un septième match.

CANADIENS EN CHIFFRES
HERBERT « Buddy » O'CONNOR

n. Montréal, Québec, 21 juin 1916   d. Montréal, Québec, 24 août 1977
5'8"   142 lbs   centre   lance de la droite

| | SAISON RÉGULIÈRE | | | | | SÉRIES ÉLIMINATOIRES | | | | |
	PJ	B	A	Pts	Pun	PJ	B	A	Pts	Pun
1941-1942	36	9	16	25	4	3	0	1	1	0
1942-1943	50	15	43	58	2	5	4	5	9	0
1943-1944	44	12	42	54	6	8	1	2	3	2
1944-1945	50	21	23	44	2	2	0	0	0	0
1945-1946	45	11	11	22	2	9	2	3	5	0
1946-1947	46	10	20	30	6	8	3	4	7	0
TOTAUX	271	78	155	233	22	35	10	15	25	2

William « Scotty » Bowman

Bâtisseur

Rares sont les amateurs de hockey dont la première ambition est de devenir entraîneur et Scotty Bowman n'a pas fait exception. Attaquant des Canadiens Juniors de Montréal, il a vu sa carrière prendre abruptement fin le 1er mars 1952 dans un match de la coupe Memorial contre Trois-Rivières. En avance 3 à 0 dans la série et 5 à 1 dans le quatrième match, Bowman s'est échappé en troisième période quand Jean-Guy Talbot lui a asséné un coup de bâton à la tête. Talbot a été suspendu un an et la carrière de Bowman fut remise en question. Bien qu'il ait joué deux autres saisons, il a perdu son efficacité et s'est retiré

Aucun entraîneur n'a remporté autant de matchs en séries et de coupes Stanley que Scott Bowman avec cinq titres à Montréal dans les années 1970.

en 1954 sans avoir réalisé son rêve d'atteindre la LNH.

Son intérêt envers le hockey n'ayant pas diminué pour autant, Bowman s'est quand même trouvé un emploi dans une compagnie de peinture, tout en dirigeant une formation junior B à Montréal. Il a

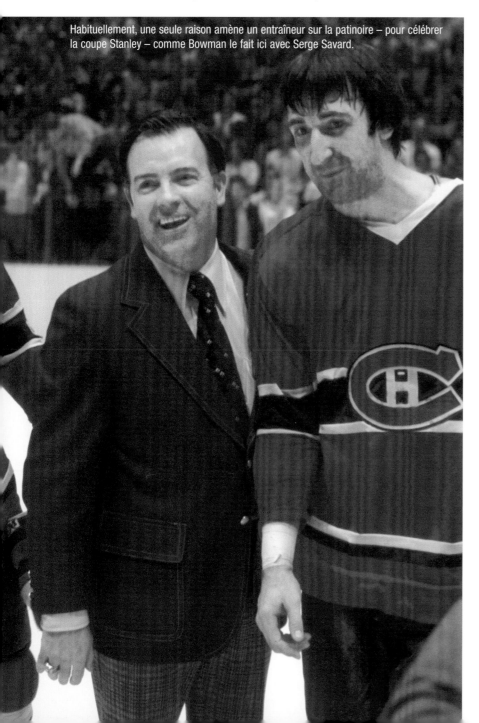

Habituellement, une seule raison amène un entraîneur sur la patinoire – pour célébrer la coupe Stanley – comme Bowman le fait ici avec Serge Savard.

mené son équipe à la finale et a fait belle impression auprès d'un ancien entraîneur de l'équipe, le jeune Sam Pollock. Un an plus tard, ce dernier était nommé directeur général des Canadiens Juniors d'Ottawa et il a embauché Bowman comme bras droit. Après une année d'apprentissage, Bowman est devenu l'entraîneur de l'équipe. À ses deux premières saisons, il a mené le club à la finale de la coupe Memorial, l'emportant à leur deuxième tentative.

WILLIAM « SCOTTY » BOWMAN

n. Montréal, Québec, 18 septembre 1933

L'EXPÉRIENCE INTERNATIONALE

Alors qu'il menait les Canadiens à cinq victoires de la coupe Stanley, de 1973 à 1979, Bowman s'est aussi retrouvé au milieu de trois moments historiques durant cette période. Le 31 décembre 1975, il était derrière le banc des Canadiens au Forum quand l'équipe a affronté la fameuse formation de l'Armée rouge dans un match qui a pris fin 3 à 3 et qui est considéré par plusieurs comme l'une des plus belles rencontres disputées dans l'histoire. Moins d'un an plus tard, Bowman dirigeait Équipe Canada au tournoi inaugural de Coupe Canada, que les Canadiens ont couronné par une victoire palpitante de 5 à 4 en prolongation sur la Tchécoslovaquie en finale. En 1979, Bowman s'est retrouvé derrière le banc de l'équipe des étoiles de la LNH pour la Challenge Cup face aux étoiles de l'Union soviétique.

William « Scotty » Bowman

Bâtisseur

Les Petes de Peterborough, affiliés des Canadiens dans l'AHO, ont attiré Bowman en lui offrant le poste d'entraîneur et de directeur général, défi qu'il a accepté. Il a atteint de nouveau la finale de la coupe Memorial pour ensuite accepter le poste de dépisteur en chef des Canadiens pour l'Est du Canada. Les trois années passées loin d'un banc l'auront convaincu de sa véritable vocation.

En 1967, la LNH passe de six à 12 équipes et les Blues de St-Louis ont embauché Lynn Patrick comme entraîneur-chef et Bowman comme adjoint. Très tôt dans la saison, Patrick a cédé sa place à Bowman qui a conduit l'équipe au meilleur dossier parmi les clubs de l'expansion. Pendant les trois saisons suivantes, les six équipes originales étaient réunies au sein d'une même division, garantissant que la finale de la coupe Stanley soit disputée entre une nouvelle et une ancienne équipe. À chacune de ces trois saisons, cette nouvelle équipe a été les Blues.

Bowman savait que la clé du succès était le gardien et à St-Louis, il a fait appel aux vétérans Glenn Hall et Jacques Plante. Bowman était à la fois dur et juste envers ses joueurs. Après avoir démissionné tôt à sa quatrième saison à St-Louis, Bowman est rentré à Montréal. À la fin de l'année, les Canadiens l'ont embauché pour succéder à Al MacNeil à la barre de l'équipe. Son directeur général n'était nul autre que Sam Pollock et leur partenariat a produit une des décennies les plus marquées de succès de l'histoire du hockey.

La carrière de Bowman à Montréal a duré huit ans. L'équipe a remporté la coupe Stanley à cinq occasions. En 1976-1977, les Canadiens ont accumulé un dossier de 60-8-12 pour 132 points, établissant ainsi des records

Calme et professionnel, Bowman se tenait derrière le banc comme un chef d'orchestre, calculant son prochain geste et ses incidences sur le reste du match.

toujours en vigueur pour de points et le plus petit nombre de défaites en une saison dans la LNH. La réputation de Bowman prenait des proportions mythiques. Les joueurs affirmaient le détester 364 jours par année. Le seul jour de répit était celui où l'équipe remportait la coupe.

Les talents de Bowman n'étaient pas tant de prendre un groupe de jeunes joueurs et d'en faire des champions que de rassembler des joueurs de grand talent individuel pour en faire une équipe redoutable. Il était fameux pour sa dureté à leur endroit quand tout allait bien et de sa souplesse dans les

périodes plus ardues. Comme ce fut le cas à St-Louis, son succès a débuté devant les filets avec Ken Dryden, mais Bowman utilisait tout son banc avec un brio que ses opposants n'arrivaient pas à rivaliser. Il comprenait ses adversaires aussi bien que ses propres joueurs et il était passé maître dans l'art de composer son alignement afin de maximiser les résultats.

En 1979, les Sabres de Buffalo ont embauché Scotty Bowman comme directeur général et entraîneur et il s'est plus tard retrouvé à Pittsburgh, puis à Détroit, remportant la coupe Stanley dans ces deux villes. Ses neuf conquêtes du titre représentent un record de la LNH, tout comme son total de matchs (2 141) et de victoires (1 244) comme entraîneur. En 30 années de carrière, il a raté les séries éliminatoires à une seule occasion (Buffalo en 1985-1986).

Les joueurs des Canadiens sautent sur la glace pour célébrer une autre fin de saison heureuse avec la coupe Stanley.

Bob Gainey

Même dans les rangs juniors, Bob Gainey était reconnu pour son jeu robuste.

Bob Gainey était l'attaquant défensif par excellence. Les anciens pourraient rouspéter que tous les joueurs de leur époque brillaient dans les deux sens de la patinoire, mais ce n'était plus le cas dans les années 1970. Il y avait des marqueurs, des étoiles offensives et des joueurs de soutien, des joueurs défensifs et des bagarreurs. Gainey était tellement bon dans son rôle que la ligue a créé le trophée Frank-Selke en 1978, en grande partie pour honorer Gainey et son style unique. Gainey a remporté la palme à ses quatre premières années d'existence.

Le terme attaquant défensif décrit de façon péjorative un joueur qui sort de son élément et qui travaille constamment à contrer l'adversaire. Habituellement, les attaquants défensifs sont nés dans la LNH. Un espoir flamboyant débarque dans la grande ligue, mais découvre qu'il ne peut marquer et créer la magie de ses années juniors,

Le succès de Gainey ne provient pas seulement de sa ténacité, mais de sa capacité à mettre un joueur en échec légalement. Il n'accumulait en moyenne que 36 minutes de punition par saison au cours de 16 campagnes.

c'est pourquoi l'entraîneur lui enseigne à devenir un spécialiste du désavantage numérique et de la défensive, prolongeant ainsi la carrière du joueur.

Pas Gainey. Même à ses deux années chez les Petes de Peterborough, Gainey était reconnu comme le meilleur joueur dans les deux sens de la patinoire dans tout le hockey junior canadien. Son entraîneur Roger Neilson et l'adjoint Claude Ruel ont commencé à lui inculquer les avantages de ce style. Gainey est devenu le joueur qu'on a connu à Montréal parce qu'il était un excellent patineur naturel, mais aussi parce qu'il apprenait rapidement et qu'il était très enseignable. Même s'il n'était pas un marqueur prolifique, il a été réclamé par Montréal au huitième rang de la première ronde du repêchage de 1973, simplement parce que le directeur général des Canadiens, Sam Pollock, avait compris la valeur d'un joueur du calibre et du type de Gainey.

Gainey a joué six matchs chez les Voyageurs de la Nouvelle-Écosse dans la LAH en 1973-1974 avant de déménager au Forum pour les 16 saisons suivantes où il a remporté cinq coupes Stanley. Comme l'ont témoigné plusieurs coéquipiers, Bob Gainey était aussi important pour l'équipe que les Guy Lafleur, Larry Robinson et Ken Dryden.

À sa saison recrue, il a marqué seulement trois buts, mais il en a inscrit 17 à sa deuxième campagne. À l'automne 1976, il a été nommé au sein d'Équipe Canada pour le premier tournoi de Coupe Canada. Le monde entier a découvert son immense talent. Scotty Bowman, qui dirigeait les Canadiens à l'époque, était aussi derrière le banc de l'équipe canadienne et il a jumelé Gainey à Darryl Sittler et à Lanny McDonald, deux joueurs des Leafs au

Gainey soutien que sa dernière coupe Stanley en 1986, a été la plus profitable, surtout parce qu'elle n'était pas attendue par les amateurs, ni par les joueurs.

La plus grande rivalité du hockey dans les années 1970 opposait Montréal à Boston et Gainey était souvent au centre de ces batailles classiques.

Bob Gainey

Gainey a remporté les quatre premiers trophées Selke.

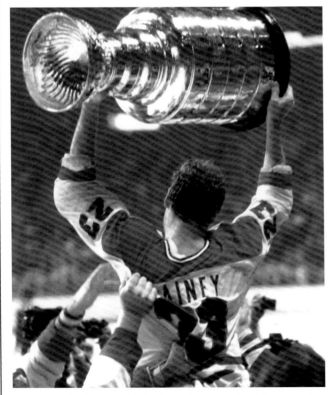

Gainey a particulièrement brillé à la fin des années 1970. Il a remporté le trophée Conn-Smythe en 1979 et l'entraîneur soviétique Viktor Tikhonov l'a qualifié de « meilleur joueur technique au monde ».

grand talent offensif. C'était toutefois Gainey qui a le plus brillé, marquant deux buts et tenant Anders Hedberg en échec dans un gain de 4 à 0 sur la Suède au Maple Leaf Gardens. Sittler a marqué le but gagnant de la série, mais Gainey a été vanté par les entraîneurs adverses pour sa capacité de jouer aux deux extrémités de la patinoire avec autant de talent et d'efficacité.

Gainey a été membre de la dynastie montréalaise qui a remporté quatre coupes Stanley de suite (1976-1979) et il a joué un rôle intégral dans chaque victoire. En 1976, Montréal affrontait Philadelphie. Les Flyers ont sorti les épaules et l'intimidation pour remporter les deux finales précédentes et ils étaient en voie de signer un troisième titre. Cette conquête aurait grandement nui aux équipes comme Montréal qui désiraient bâtir sur la vitesse et le talent. En finale, Bowman a assigné Gainey à Reggie Leach, un des quelques joueurs de talent chez les Flyers. Gainey n'a enregistré qu'une seule passe en finale, mais le Tricolore a balayé les Flyers en quatre matchs pour gagner la coupe.

La finale de 1979 a toutefois été la meilleure performance dans la carrière de Gainey. En avance 2 à 1 dans la série, les Canadiens tiraient toutefois de l'arrière 3 à 2 en fin de troisième période face aux Rangers de New York. La rondelle s'est retrouvée derrière le but des Rangers et Gainey est allé écraser le défenseur Dave Maloney contre la rampe, lui a subtilisé la rondelle et a battu le gardien John Davidson. Les Canadiens ont remporté le match en prolongation, mais les joueurs des deux équipes ont reconnu que l'issue de la série s'était jouée sur cette mise en échec et le but inscrit par Gainey, qui a reçu le trophée Conn-Smythe. L'entraîneur-chef soviétique Viktor Tikhonov était dans les estrades et il a déclaré que Gainey était possiblement « le meilleur joueur de hockey au monde sur le plan technique. »

Le mot « technique » était la plus grande fierté de Gainey. Il ne possédait pas le tir le plus dur et n'était pas le joueur le plus costaud sur la patinoire, mais il pratiquait son sport à la perfection. Il remportait les mises en jeu clés, marquait des buts importants, mettait solidement ses adversaires en

échec et prenait presque toujours la bonne décision dans un sport où tout se déroule en pleine vitesse.

Même si Gainey a joué un rôle clé dans ces quatre conquêtes de la coupe Stanley, son plus beau souvenir a été son dernier championnat remporté en 1986. La plupart des vedettes des années 1970 étaient à la retraite. Gainey, capitaine, était à la tête d'une équipe de jeunes loups qui ne figurait pas parmi les aspirants au titre jusqu'à ce qu'une verte recrue, Patrick Roy, arrive sur scène et mène son équipe vers une victoire inattendue. Gainey,

32 ans, avait marqué 20 buts et jouait encore d'excellentes séries, mais il a davantage apprécié cette victoire alors que personne ne voyait le Tricolore se rendre jusqu'au bout.

En 2003, Gainey est revenu avec l'équipe à titre de directeur général. Entre temps, il avait joué en France une saison, dirigé les Stars de Dallas avec qui il a remporté la coupe Stanley en 2000 et il a été intronisé au Temple de la renommée du hockey. Le 23 février 2008, son numéro 23 a été élevé au plafond du Centre Bell.

CANADIENS EN CHIFFRES
BOB GAINEY

n. Peterborough, Ontario, 13 décembre 1953
6'2" 200 lbs ailier gauche lance de la gauche

	SAISON RÉGULIÈRE					SÉRIES ÉLIMINATOIRES				
	PJ	B	A	Pts	Pun	PJ	B	A	Pts	Pun
1973-1974	66	3	7	10	34	6	0	0	0	6
1974-1975	80	17	20	37	49	11	2	4	6	4
1975-1976 🏆	78	15	13	28	57	13	1	3	4	20
1976-1977 🏆	80	14	19	33	41	14	4	1	5	25
1977-1978 🏆	66	15	16	31	57	15	2	7	9	14
1978-1979 🏆	79	20	18	38	44	16	6	10	16	10
1979-1980	64	14	19	33	32	10	1	1	2	4
1980-1981	78	23	24	47	36	3	0	0	0	2
1981-1982	79	21	24	45	24	5	0	1	1	8
1982-1983	80	12	18	30	43	3	0	0	0	4
1983-1984	77	17	22	39	41	15	1	5	6	9
1984-1985	79	19	13	32	40	12	1	3	4	13
1985-1986 🏆	80	20	23	43	20	20	5	5	10	12
1986-1987	47	8	8	16	19	17	1	3	4	6
1987-1988	78	11	11	22	14	6	0	1	1	6
1988-1989	49	10	7	17	34	16	1	4	5	8
TOTAUX	1 160	239	262	501	585	182	25	48	73	151

L'ARME CACHÉE DE LA GUERRE FROIDE

En plus de connaître une excellente carrière dans la LNH avec les Canadiens, Bob Gainey a pris part à plusieurs tournois internationaux d'envergure, notamment Coupe Canada (1976, 1981) et le Championnat du monde (1982, 1983). À Montréal, il a aussi affronté l'Armée rouge au Forum, le soir du 31 décembre 1975 dans un match nul de 3 à 3 qui est encore considéré comme un des plus beaux matchs disputés. Quatre ans plus tard, les Canadiens ont vaincu les Soviétiques 4 à 2 et Gainey a marqué le but gagnant. Même si ce n'était pas un missile qui a trompé la vigilance du grand Vladislav Tretiak, Gainey a d'abord servi une tasse de café au défenseur Slava Fetisov, et a dirigé une rondelle qui a à peine franchi la ligne des buts. Gainey a été nommé joueur du match des Canadiens, en partie pour ce but vainqueur, mais aussi pour l'ensemble de son jeu tout au long du match.

Dans les années 1980, les Nordiques de Québec étaient les plus grands rivaux des Canadiens. Gainey jouait aussi un rôle important dans ces batailles de tranchées.

Guy Lapointe
Défenseur 1968-1969 à 1981-1982

Adolescent, Guy Lapointe désirait devenir policier avant d'être un joueur de hockey. Par contre, son père, un pompier, l'a convaincu qu'il pourrait se raviser si sa carrière au hockey ne se concrétisait pas. Lapointe s'est tranquillement, mais certainement greffé aux Canadiens et à 25 ans, âge limite d'entrée des recrues de la police de Montréal, il avait une coupe Stanley entre les mains et une nomination au sein de l'équipe d'étoiles de la LNH.

Évoluant chez les juniors dans l'organisation des Canadiens, Lapointe n'avait rien de l'espoir flamboyant quand il s'est joint à l'équipe en 1967 à l'âge de 19 ans. Ce n'est que dans les rangs Junior A à Maisonneuve qu'il

Lapointe excellait offensivement et il a connu neuf saisons consécutives de 10 buts et plus avec au moins 40 points.

Deux membres du « Big Three » discutent au banc. Lapointe (à gauche) et le capitaine Serge Savard.

CANADIENS EN CHIFFRES
GUY LAPOINTE

n. Montréal, Québec, 18 mars 1948
6'   205 lbs   défenseur   lance de la gauche

	SAISON RÉGULIÈRE					SÉRIES ÉLIMINATOIRES				
	PJ	B	A	Pts	Pun	PJ	B	A	Pts	Pun
1968-1969	1	0	0	0	2	—	—	—	—	—
1969-1970	5	0	0	0	4	—	—	—	—	—
1970-1971 🏆	78	15	29	44	107	20	4	5	9	34
1971-1972	69	11	38	49	58	6	0	1	1	0
1972-1973 🏆	76	19	35	54	117	17	6	7	13	20
1973-1974	71	13	40	53	63	6	0	2	2	4
1974-1975	80	28	47	75	88	11	6	4	10	4
1975-1976 🏆	77	21	47	68	78	13	3	3	6	12
1976-1977 🏆	77	25	51	76	53	12	3	9	12	4
1977-1978 🏆	49	13	29	42	19	14	1	6	7	16
1978-1979 🏆	69	13	42	55	43	10	2	6	8	10
1979-1980	45	6	20	26	29	2	0	0	0	0
1980-1981	33	1	9	10	79	1	0	0	0	17
1981-1982	47	1	19	20	72	—	—	—	—	—
TOTAUX	777	166	406	572	812	112	25	43	68	121

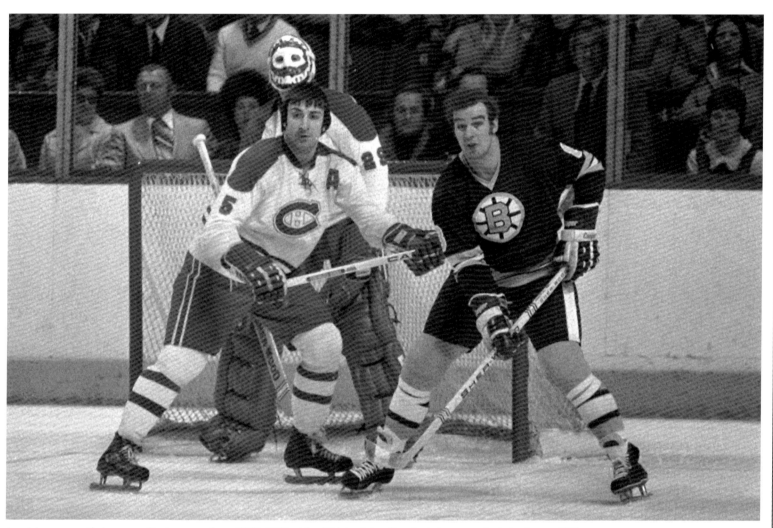

Lapointe a remporté six coupes Stanley en neuf ans (1970-1979) et il a été intronisé au Temple de la renommée du hockey en 1993.

s'est concentré uniquement sur le poste de défenseur.

Il a travaillé durement, ce qui a conduit à un essai d'un match avec le grand club. La saison suivante, il a été cédé aux Apollos de Houston de la Ligue centrale, et il a su tirer son épingle du jeu à ce niveau. Il a aussi été rappelé pour cinq matchs en 1969-1970 alors qu'il évoluait avec les Voyageurs de Montréal de la Ligue américaine.

La percée de Lapointe est survenue au camp d'entraînement de 1970 grâce à une série de circonstances favorables. D'abord, le Tricolore avait besoin d'un défenseur pour combler l'absence de Serge Savard, victime d'une quintuple fracture à une jambe à la fin de la saison. Ensuite, Lapointe a brillé en matchs préparatoires, offrant une présence physique exceptionnelle, une menace offensive et une fiabilité dans son territoire d'un joueur qui demeurait calme sous pression. Il a même vu son temps de jeu augmenter quand Jacques Laperrière a subi une blessure en début de saison. Lapointe

Guy Lapointe
Défenseur 1968-1969 à 1981-1982

était devenu un membre essentiel à la ligne bleue des Canadiens au point que l'entraîneur Al MacNeil a été forcé de le garder au retour de Savard, tant il avait bien fait.

Lapointe est resté toute la saison 1970-1971 à Montréal et a aidé le Tricolore à éliminer les Bruins de Boston en route vers une conquête de la coupe Stanley à sa première saison complète. Lapointe n'a plus jamais regardé derrière lui. Il a inscrit 15 buts à sa saison recrue et il a prouvé que malgré certains aspects qui nécessitaient encore une amélioration, il était certainement un joueur du calibre de la LNH.

Il a poursuivi sa progression dans les saisons à venir, puis l'équipe s'est

FARCEUR PAR EXCELLENCE

Chaque équipe qui connaît du succès a besoin d'un clown dans le vestiaire et quel avantage quand ce clown est aussi talentueux sur la patinoire. Guy Lapointe aimait jouer des tours et une de ses cibles favorites était le gardien Ken Dryden. De connivence avec ses coéquipiers, Lapointe était à son mieux un certain jour de match. Il connaissait la passion de Dryden pour la crème glacée. Il s'est alors arrangé pour que le dessert soit une coupe de fruits avec une seule portion de crème glacée. Avant le repas, Lapointe a ouvert la portion de dessert et l'a remplacé la crème glacée par de la crème sure. Il a nappé la portion de sauce au chocolat et a replacé le tout. Après le repas principal, tout le monde a reçu sa coupe de fruits, à l'exception de Lapointe qui se disait trop plein pour un dessert et a offert sa crème glacée au plus désirant. Bien sûr, tous les coéquipiers sont restés muets et Dryden a levé sa main puisque personne d'autre n'en voulait. Dryden a retiré le couvercle, plongé sa cuiller et s'est étouffé avec la crème sure, au grand plaisir de tous ceux présents. Ce soir-là, les Canadiens ont gagné.

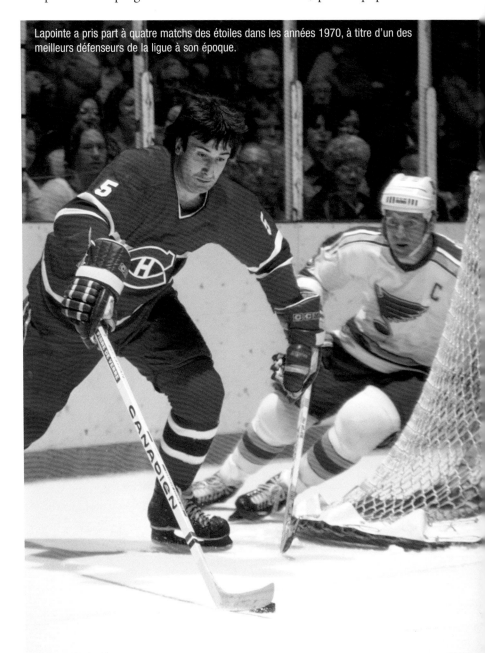

Lapointe a pris part à quatre matchs des étoiles dans les années 1970, à titre d'un des meilleurs défenseurs de la ligue à son époque.

fiée plus que jamais sur ses habiletés complètes. Il écoulait les pénalités, dirigeait le jeu de puissance et déplaçait la rondelle avec une efficacité constante dans son propre territoire. Même s'il n'a jamais remporté le trophée Norris au cours de sa longue carrière, cela est aussi dû au fait qu'il évoluait à la même époque que les Bobby Orr, Denis Potvin et Brad Park. Les années 1970 ont marqué une période définie par ces défenseurs offensifs et les contributions de Lapointe à l'attaque ont souvent été outrepassées quand arrivait le moment d'élire les joueurs par excellence en fin de saison.

Malgré seulement deux années d'expérience dans la LNH, Lapointe a été invité au sein d'Équipe Canada pour l'historique Série du siècle contre l'Union soviétique. Il a disputé sept des huit rencontres et a joué un rôle important dans les succès défensifs de l'équipe.

De retour à Montréal, les Canadiens ont remporté la coupe à nouveau en 1973, avant deux années de domination par les robustes Flyers. Le Tricolore a plus tard remporté quatre titres consécutifs (1976-1979). Par ailleurs, Lapointe a connu trois saisons de 21 buts ou plus entre 1974 et 1977. Les autres membres du « Big Three » à la ligne bleue, Larry Robinson et Savard, ont peut-être eu droit à plus d'attention et de publicité, mais Lapointe a été tout aussi important aux succès de l'équipe.

Toute longue saison apportera sa part de hauts et de bas pour une équipe et Lapointe est devenu un leader dans le vestiaire, non par ses discours inspirants, mais par les nombreux tours qu'il jouait. Les joueurs ont admis qu'il n'était jamais sage de sortir sur la glace pour l'entraînement jusqu'à ce que Lapointe soit lui-même sur la patinoire et il était aussi préférable qu'il ne soit pas le premier retourné au vestiaire une fois l'entraînement terminé. Qu'il colle des souliers ensemble ou qu'il fasse des trous dans les chapeaux – y compris le sien pour camoufler son geste – Lapointe maintenait une ambiance légère et créait un environnement où les joueurs se sentaient en famille.

Vers la fin de son séjour à Montréal, il a subi deux blessures effrayantes.

Même s'il était talentueux aux deux bouts de la patinoire, Lapointe prenait beaucoup de place dans le vestiaire, multipliant les coups pendables à l'endroit de ses coéquipiers.

En 1977-1978, il a reçu une rondelle déviée dans l'œil et en 1979-1980, il s'est disloqué l'épaule et a été écarté du jeu pendant de nombreuses semaines. Il a été échangé à St-Louis à la date limite des transactions en 1982 et il a annoncé sa retraite deux ans plus tard après un court passage à Boston. Au total, Lapointe a remporté six coupes Stanley, il a été nommé une fois au sein de la première équipe d'étoiles (1973) et trois fois au sein de la deuxième équipe d'étoiles (1974-1977). Il a aussi pris part à quatre matchs des étoiles (1973, 1975, 1976 et 1977).

Après seulement deux saisons complètes dans la LNH à l'été de 1972, Lapointe a été invité par Équipe Canada pour la Série du siècle et a disputé sept des huit matchs contre les Soviétiques.

Ce n'est qu'à mi-chemin dans son adolescence que Lapointe s'est concentré uniquement sur son poste de défenseur. Sa longue expérience de jeunesse comme attaquant lui a permis d'être une menace offensive à la ligne bleue du Tricolore dans les années 1970.

Steve Shutt

Ailier gauche 1972-1972 à 1984-1985

Steve Shutt est devenu le premier membre des Canadiens à inscrire 60 buts dans une saison, réalisant l'exploit en 1976-1977.

Phénomène étrange au hockey et denrée rare dans la LNH, des ailiers gauches à qui l'on reconnaît d'excellentes habiletés de marqueur naturel. Ces qualités sont souvent associées à des joueurs de centre et à des ailiers droits, au détriment des compagnons de trios sur l'autre flanc. Peu importe les tendances, ce phénomène compte quelques exceptions et l'une d'entre elles se nomme Steve Shutt, dont les 60 buts lors de la saison 1976-1977 lui ont valu un record chez les joueurs de sa position à ce chapitre.

Shutt personnifiait l'incarnation même de la perfection aux yeux d'un dépisteur, car la manière dont il a évolué dans les rangs juniors est quasi identique à son développement dans la LNH. Il n'était certes pas reconnu pour son jeu en dentelle ni comme étant un marchand de vitesse

ou encore une présence des plus coriaces comme un Dino Ciccarelli ou un Dave Andreychuck dans les années à venir, mais il connaissait l'importance d'être assidu et il savait exactement quand se poster devant le filet pour déstabiliser le gardien de but adverse. Bref, il savait se trouver au bon endroit au bon moment.

Malgré l'accomplissement louable de s'être taillé un poste avec le grand club dès son premier camp, à l'âge de 20 ans, la pression de gagner la coupe Stanley chaque année en était quelque peu prématurée pour le jeune Shutt. La campagne 1972-1973, où il a marqué huit buts en 50

La progression de Shutt a été graduelle au fil des ans, apprenant et s'améliorant pour devenir un des meilleurs ailiers gauches du hockey.

Shutt était utilisé par l'entraîneur Scotty Bowman aux côtés de Guy Lafleur (à gauche) et de Pete Mahovlich.

Steve Shutt

Shutt était le plus dangereux en possession du disque dans un espace restreint, faisant de lui l'une des plus grandes menaces offensives de son temps.

matchs, en a donc été une d'apprentissage et de patience alors qu'il cédait sa place dans l'alignement plus souvent qu'à son tour. Toutefois, son sort lui aura profité, puisqu'il faisait ses classes au sein du club qui remporta le prestigieux trophée cette même année-là, et qui s'est soldée par une victoire de 6 à 4 sur Chicago au sixième match de la finale.

Les quatre saisons suivantes ont vu la production de Steve Shutt grimper d'exactement 15 buts par saison, c'est-à-dire de 15, à 30, à 45 et jusqu'au plateau record des 60 buts en 1976-1977. Cette saison-là, il a affiché un rendement de 105 points, bon pour le troisième rang des marqueurs de la LNH, tout juste derrière Marcel Dionne des Kings de Los Angeles et son compagnon de trio Guy Lafleur.

L'entraîneur de l'époque Scotty Bowman a jumelé Shutt au centre Pete Mahovlich et à Lafleur, ce qui a créé le trio le plus explosif de la ligue. Force est d'admettre que la patience de Bowman a porté ses fruits au cours des trois premières saisons de Shutt, lui qui est ainsi passé d'un statut de quasi-réserviste à un de vedette.

Ne pratiquant pas un style axé sur la finesse comme Lafleur, reconnu pour sa vitesse et son tir en boulet de canon, ou comme Mahovlich, dont les mains pouvaient déjouer une équipe au complet, Shutt était néanmoins un joueur qui savait toujours se positionner au moment le plus opportun. De plus, il savait loger la rondelle au travers des largesses accordées par les gardiens grâce à son puissant tir des poignets, voire de son lancer frappé précis. Toute sa jeunesse, il a joué sur la patinoire fami-liale en compagnie de ses quatre frères et a appris à lancer grâce à une cible peinte sur un mur d'école, où il pouvait s'exercer pendant des heures.

Quand Mahovlich a été échangé aux Penguins de Pittsburgh en 1977-1978, Shutt complétait un trio avec Lafleur et Jacques Lemaire, tout aussi dominant que le

Shutt aimait se comparer à un attaquant invisible qui trouvait toujours le filet sans retirer de gloire à des coéquipiers comme Guy Lafleur et Larry Robinson.

EXCELLENT CHEZ LES JUNIORS, AUSSI BON DANS LA LNH

Steve Shutt a porté les couleurs des Marlboros de Toronto, une des formations les plus riches en histoire du hockey junior canadien. Il y a fait ses débuts lors des séries éliminatoires en 1969 et sa présence n'a pas tardé à se faire sentir. D'abord, son tir était redoutable puis, sa longue chevelure et ses joues ornées de favoris le faisaient ressortir du groupe à une époque de coupes en brosse étaient la norme. Il évoluait à la gauche de Dave Gardner et de Billy Harris, un des meilleurs trios de l'histoire du hockey junior. Shutt marqua 133 buts à ses deux dernières saisons et ses 63 buts en 1971-1972 ont convaincu le directeur général Sam Pollock de le sélectionner quatrième en première ronde du repêchage de 1972. Bien que plusieurs étoiles juniors arrivent à remplir le filet adverse, peu ont réussi comme Shutt à maintenir le rythme dans la LNH, au grand plaisir de Pollock.

Steve Shutt
Ailier gauche 1972-1972 à 1984-1985

précédent. Shutt n'a jamais renouvelé l'exploit des 60 buts, mais il a tout de même accumulé des saisons consécutives de 30 buts ou mieux jusqu'en 1982-1983. Deux ans plus tard, à l'âge de 32 ans, sa carrière s'est achevée de la même façon qu'elle s'était entamée : il était employé sporadiquement et de façon irrégulière. La direction a tranché et a décidé de l'échanger aux Kings de Los Angeles. À la fin de la saison, il se retira.

Même s'il n'a jamais remporté de prix individuels, Steve Shutt a remporté une impressionnante série de cinq

coupes Stanley avec les Canadiens. La première conquête est venue dès son année recrue au printemps 1973 avant d'en ajouter quatre autres à sa collection à la fin de la décennie. En séries éliminatoires, il moyennait un peu plus d'un point par match et savait élever l'intensité dans son jeu quand les enjeux étaient inestimables.

Ayant participé à trois matchs des étoiles (1976, 1978 et 1981), il a été choisi au sein de la première équipe d'étoiles de la LNH à sa saison de 60 buts, sur la deuxième équipe d'étoiles l'année suivante, puis une dernière fois en 1980. Il a également représenté la LNH en 1979, au tournoi de la Challenge Cup, une série au meilleur de trois matchs face à l'Union soviétique.

Shutt à l'attaque, se déplaçant doucement vers le filet en suivant le jeu, prêt à décocher un tir rapide si le disque venait vers lui.

CANADIENS EN CHIFFRES
STEVE SHUTT

n. Toronto, Ontario, 1er juillet 1952
5'11"   185 lbs   ailier gauche   lance de la gauche

	SAISON RÉGULIÈRE					SÉRIES ÉLIMINATOIRES				
	PJ	B	A	Pts	Pun	PJ	B	A	Pts	Pun
1972-1973 🏆	50	8	8	16	24	1	0	0	0	0
1973-1974	70	15	20	35	17	6	5	3	8	9
1974-1975	77	30	35	65	40	9	1	6	7	4
1975-1976 🏆	80	45	34	79	47	13	7	8	15	2
1976-1977 🏆	80	60	45	105	28	14	8	10	18	2
1977-1978 🏆	80	49	37	86	24	15	9	8	17	20
1978-1979 🏆	72	37	40	77	31	11	4	7	11	6
1979-1980	77	47	42	89	34	10	6	3	9	6
1980-1981	77	35	38	73	51	3	2	1	3	4
1981-1982	57	31	24	55	40	—				
1982-1983	78	35	22	57	26	3	1	0	1	0
1983-1984	63	14	23	37	29	11	7	2	9	8
1984-1985	10	2	0	2	9	—				
TOTAUX	871	408	368	776	400	96	50	48	98	61

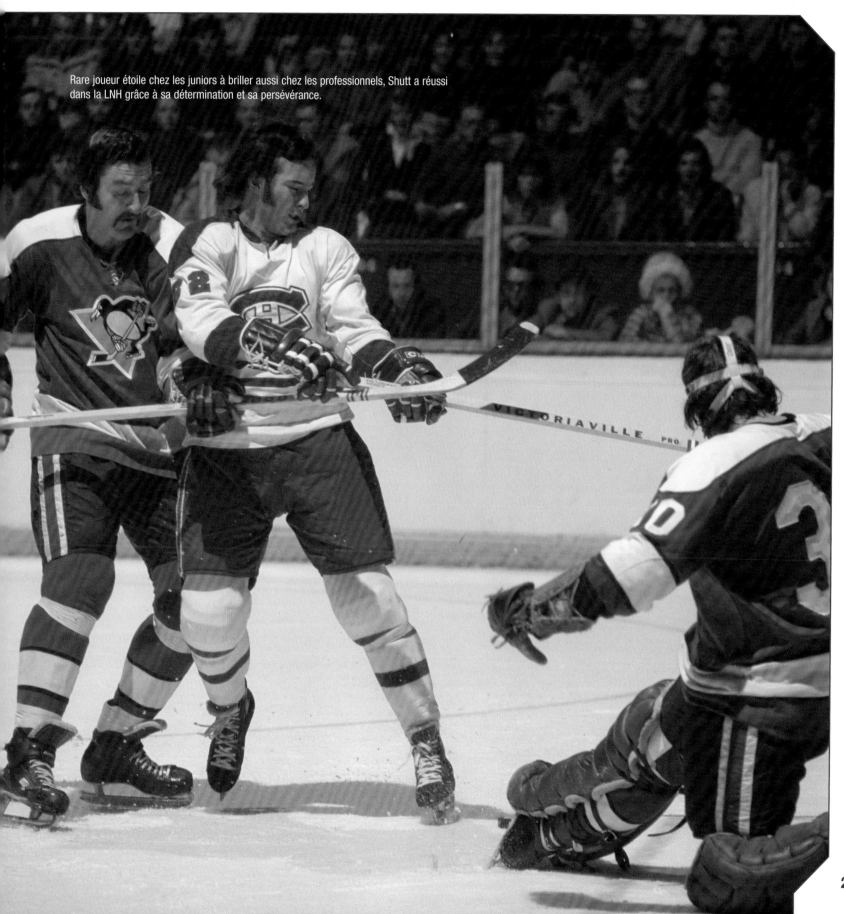

Rare joueur étoile chez les juniors à briller aussi chez les professionnels, Shutt a réussi dans la LNH grâce à sa détermination et sa persévérance.

Larry Robinson
Défenseur 1972-1973 à 1988-1989

La montée de Robinson dans le firmament des étoiles du sport n'a pas été météorique, mais plutôt stable, méthodique et certaine. Il a entrepris sa carrière comme joueur de centre et après avoir porté les couleurs de Jets de Metcalfe, il s'est joint aux Braves de Brockville avec qui il a remporté le championnat des marqueurs. À sa deuxième saison, il est retourné à la ligne bleue en raison d'une pénurie de défenseurs et c'est là qu'il a découvert son appel. Il s'est développé et amélioré, mais bien que les dépisteurs le connaissaient, il était encore loin d'être une étoile de la LNH.

Chez les Rangers de Kitchener, Robinson était reconnu comme un grand gaillard maladroit. Il n'était pas le meilleur patineur et il n'utilisait pas son gabarit intelligemment. Malgré les qualités brutes de son jeu, il était

Robinson était surnommé « Big Bird » en raison de ses cheveux frisés et de son imposant gabarit.

Robinson a joué 20 ans dans la LNH et il n'a jamais raté les séries éliminatoires.

clairement meilleur que ses pairs. Peu importe, les seules équipes qui avaient exprimé un intérêt à son endroit à l'approche du repêchage amateur de 1971 étaient Los Angeles et la Californie. Bien sûr le directeur général des Canadiens, Sam Pollock connaissait bien Robinson après avoir été avisé par Claude Ruel qu'il était un excellent joueur au potentiel énorme. C'était suffisant pour que les Canadiens sortent de nulle part pour le réclamer au 20e rang.

Pollock a assigné Robinson à l'équipe-école de la Nouvelle-Écosse dans la LAH et c'est là que le défenseur a beaucoup progressé au cours de l'an-

née et demie qui a suivi. Il a appris à être intimidant par sa présence et à utiliser son lancer frappé. Il a réalisé l'ampleur de sa portée et sa force à un contre un. Ses longues enjambées pouvaient donner une impression de maladresse, mais il arrivait plus rapidement que ses adversaires à la cible. À sa façon, il est devenu un superbe défenseur sur la contre-attaque et un quart-arrière du jeu de puissance tout en dominant à son bout de la patinoire.

À mi-chemin dans la saison 1972-1973, Robinson jouait

En pleine vitesse avec la rondelle, Larry Robinson pouvait devenir une impressionnante menace offensive.

Larry Robinson
Défenseur 1972-1973 à 1988-1989

trop bien pour que Pollock le garde dans la LAH. Dès qu'il s'est joint aux Canadiens au début de 1973 et jusqu'à sa retraite en 1992, Robinson n'a plus jamais évolué dans les mineures. Il a entraîné une répercussion immédiate avec les Canadiens, contribuant à la conquête de la coupe Stanley à sa saison recrue.

Même si Montréal n'a pu remettre la main sur la coupe au cours des deux saisons suivantes, c'est la présence physique de Robinson contre Philadelphie, champions en 1974 et 1975, qui a aidé le hockey à se débarrasser des « Broad Street Bullies » et à restaurer la classe et la dignité dans la poursuite de la coupe.

Les Canadiens ont à nouveau remporté la coupe en 1976 et à chacune des trois saisons suivantes au moment où Robinson était à son apogée. Il a été nommé au sein de la première et de la deuxième équipe d'étoiles à

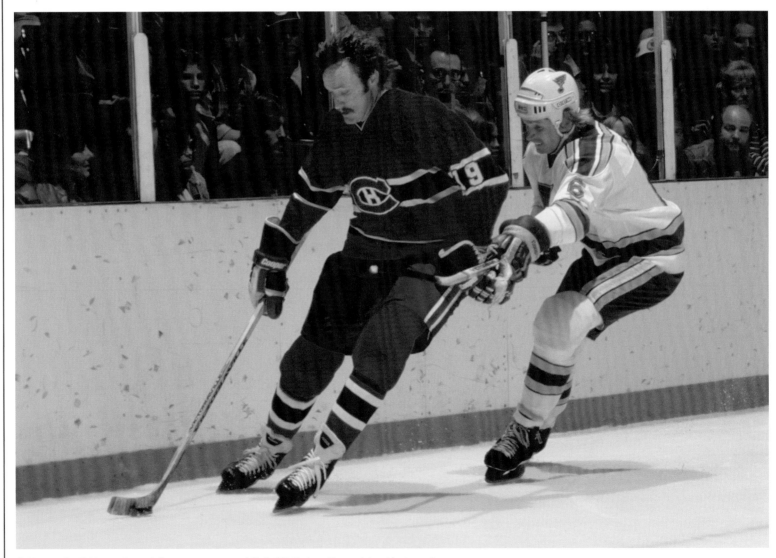

Robinson aimait bloquer la rondelle avec son corps et était difficile à mettre en échec légalement.

chacune des cinq années suivantes et a remporté le trophée Norris en 1977 et en 1980 en plus du trophée Conn-Smythe en 1978.

Robinson était une menace constante à l'attaque, capable d'ouvrir le jeu avec un gros but ou une montée d'un bout à l'autre de la patinoire pour créer une occasion de marquer. Il n'y arrivait pas seul, mais aidait souvent les autres à marquer et était rarement sur la patinoire pour un but adverse. Robinson n'a jamais marqué 20 buts en une saison, mais il a accumulé au

CANADIENS EN CHIFFRES
LARRY ROBINSON (« Big Bird »)

n. Winchester, Ontario, 2 juin 1951
6'2" 197 lbs défenseur lance de la gauche

	SAISON RÉGULIÈRE					SÉRIES ÉLIMINATOIRES				
	PJ	B	A	Pts	Pun	PJ	B	A	Pts	Pun
1972-1973	36	2	4	6	20	11	1	4	5	9
1973-1974	78	6	20	26	66	6	0	1	1	26
1974-1975	80	14	47	61	76	11	0	4	4	27
1975-1976	80	10	30	40	59	13	3	3	6	10
1976-1977	77	19	66	85	45	14	2	10	12	12
1977-1978	80	13	52	65	39	15	4	17	21	6
1978-1979	67	16	45	61	33	16	6	9	15	8
1979-1980	72	14	61	75	39	10	0	4	4	2
1980-1981	65	12	38	50	37	3	0	1	1	2
1981-1982	71	12	47	59	41	5	0	1	1	8
1982-1983	71	14	49	63	33	3	0	0	0	2
1983-1984	74	9	34	43	39	15	0	5	5	22
1984-1985	76	14	33	47	44	12	3	8	11	8
1985-1986	78	19	63	82	39	20	0	13	13	22
1986-1987	70	13	37	50	44	17	3	17	20	6
1987-1988	53	6	34	40	30	11	1	4	5	4
1988-1989	74	4	26	30	22	21	2	8	10	12
TOTAUX	1 202	197	686	883	706	203	25	109	134	186

UNE MISE EN ÉCHEC RETENTISSANTE

Pour plusieurs, les saisons 1973-1974 et 1974-1975 ont été des années difficiles pour la LNH. Les Flyers de Philadelphie ont remporté la coupe Stanley à deux occasions en sortant les épaules et les gros bras. C'était également leur approche lors des séries 1976 face aux Canadiens. Une autre victoire des Flyers aurait ouvert la porte à une mini-dynastie fondée sur un niveau de tolérance inégalé de la violence, mais les Canadiens n'avaient pas dit leur dernier mot. Montréal avait obtenu l'avantage de la patinoire dans cette série et les deux premiers matchs ont été disputés au Forum. La finale a basculé sur un jeu, une énorme mise en échec servie par Larry Robinson aux dépens de Gary Dornhoefer. Ce dernier entrait en zone des Canadiens en troisième période du deuxième match et la porte du banc de pénalité a été brisée sous l'impact. Le match a été suspendu pendant que l'équipe de soutien sautait sur la glace pour s'affairer sur la porte. Pour la première fois depuis qu'ils ont commencé à pratiquer leur style de jeu, les Flyers semblaient intimidés et Ken Dryden des Canadiens a plus tard affirmé que ce moment a défini le reste de la série. Robinson a plus tard déclaré qu'il ne s'était jamais senti aussi en paix après ce moment et que les Canadiens remporteraient la coupe Stanley. Tout cela grâce à sa solide mise en échec.

Larry Robinson
Défenseur 1972-1973 à 1988-1989

moins 45 mentions d'aide à huit occasions en carrière. Il était le meneur du jeu de puissance et son superbe tir bas se frayait toujours un chemin au but.

Malgré tous ses succès avec les grandes équipes des Canadiens dans les années 1970, le titre favori de Robinson a été remporté en 1986. L'équipe n'aurait pas remis les mains sur la coupe si cela n'avait pas été du jeu spectaculaire de Patrick Roy devant le filet. Les deux seuls survivants des glorieuses années étaient Robinson et le capitaine Bob Gainey, qui brillaient dans leur rôle de mentor et de leaders avec un jeu toujours au niveau.

À cause de son gabarit et de son style de jeu, Robinson a connu sa part de blessures. Un problème de dos et une dislocation de l'épaule ainsi que d'autres blessures l'ont écarté de l'alignement à quelques occasions au fil des ans, mais sa

Robinson tient deux grands prix des séries éliminatoires – la coupe Stanley et le trophée Conn-Smythe – qu'il a remportés en 1978 à titre de joueur par excellence.

pire blessure est survenue à l'été 1987 à l'extérieur de la patinoire. Après son excellente prestation à Coupe Canada 1984 et sa remontée avec la coupe Stanley en 1986, Robinson a été invité au sein de l'équipe canadienne pour le tournoi de Coupe Canada 1987. Toutefois, il a subi une fracture à la jambe en jouant au polo, son autre grande passion, et il a raté le tournoi ainsi que les deux premiers mois d'activités dans la LNH. Il avait aussi subi une autre blessure grave quelques années plus tôt après avoir reçu un coup de bâton de Wilf Paiement des Nordiques de Québec qui lui a fracturé la tête. Robinson a sagement choisi de porter un casque par la suite et il a pu prolonger sa carrière tout en pratiquant son style avec confiance.

En 1989, Robinson était à la croisée des chemins. Il n'était pas heureux de son temps d'utilisation la saison précédente à Montréal, même s'il se sentait toujours en grande forme. Montréal lui préférait des joueurs plus jeunes et ils se sont donc séparés. Larry Robinson a signé une entente avec les Kings de Los Angeles et il a disputé trois autres saisons aux côtés de Wayne Gretzky. En 1992, à l'âge de 40 ans, il a annoncé sa retraite après avoir pressé toutes les onces d'énergie et de talent que son corps contenait.

Bien que les chiffres ne racontent pas toujours l'histoire du succès ou de l'échec d'un joueur, deux statistiques indiquent quand même la grandeur incomparable de Robinson. Au cours de ses 20 saisons dans la LNH, Robinson a toujours affiché un différentiel positif. Il a connu sa meilleure saison à ce chapitre en 1976-1977 avec un différentiel de +120. Son total cumulatif de carrière est un incroyable +730. Il revendique également le record pour le plus de participations consécutives aux séries éliminatoires avec 20, et partage la marque quant aux nombres de participations avec Gordie Howe.

Ainsi donc, c'est sans surprise que le 19 novembre 2007, la bannière numéro 19 de Robinson a été élevée au plafond du Centre Bell, devenant ainsi le 13e joueur honoré de la sorte par le Tricolore. Cette cérémonie honorait une carrière et un joueur remarquable, mais aussi un défenseur gentilhomme, un homme fier et compétiteur ainsi qu'une idole pour la prochaine génération de joueurs à Montréal.

Le numéro 19 de Robinson a été retiré au Centre Bell, le 19 novembre 2007 pour honorer 17 saisons incroyables à Montréal.

Denis Savard

Centre 1990-1991 à 1992-1993

L'histoire des « Trois Denis » est tellement improbable qu'elle semble plutôt tirer d'un conte pour enfants que de la réalité. Denis Savard, Denis Cyr et Denis Tremblay jouaient au sein du même trio chez les Juniors de Montréal de la LHJMQ. Ils ont grandi dans le même quartier à Verdun, en banlieue de Montréal, jouant côte à côte jusqu'à la séance de sélection de la LNH en 1980. Les trois étaient nés le même jour, le 4 février 1961 et ils étaient tous trois espoirs de la LNH.

Denis Savard est rentré chez lui dans l'espoir de remporter la coupe, même si cela devait dire qu'il se concentrerait davantage sur un rôle plus défensif.

Ignoré au repêchage, Denis Tremblay n'a jamais atteint la grande ligue. Denis Cyr, réclamé par Calgary, a joué à temps partiel dans la LNH pendant plusieurs années tandis que Denis Savard est devenu membre du Temple de la renommée après une récolte de 1 338 points en 17 saisons. Un des meilleurs espoirs disponibles, Savard croyait bien se retrouver à Montréal puisque les Canadiens détenaient le tout premier choix. Toutefois, le Tricolore a jeté son dévolu sur Doug Wickenheiser, un joueur de talent égal, mais plus grand, plus costaud et beaucoup plus fort. Winnipeg a ensuite réclamé Dave Babych, puis Chicago a choisi Savard au troisième rang. Le Montréalais prenait le chemin de la Ville des Vents pour le commencement d'une belle aventure.

Au cours des dix années suivantes, Savard a accumulé plus de 100 points par saison, mais après 1 013 points en saison régulière chez les Black Hawks il a été envoyé à Montréal en retour de Chris Chelios et d'un choix de deuxième ronde en 1991 (Mike Pomichter). Cette transaction découlait des nombreux désaccords entre Savard et l'entraîneur Mike Keenan, mettant aussi fin à dix années de frustration pour le joueur qui

Savard a été écarté de la finale contre Los Angeles victime d'un pied fracturé dans le premier match, mais il était au centre des célébrations une fois la coupe remportée, sa seule en carrière.

n'avait jamais pris part à une finale de la coupe Stanley même s'il a atteint cinq fois la finale de Conférence (1982, 1983, 1985, 1989, 1990).

Savard a été accueilli comme un roi à Montréal. Rarement un Canadien-Français de sa trempe n'avait été acquis par les Canadiens via transaction après avoir joué toute sa carrière à l'extérieur. Les partisans et les médias s'attendaient peut être à ce qu'il marque à chaque match, mais le joueur n'avait qu'une seule idée en tête : remporter la coupe Stanley.

Pour Savard, cela signifiait de sacrifier quelques jeux spectaculaires en faveur d'une approche d'équipe plus défensive. C'est ainsi que l'entraîneur Pat Burns l'a déplacé du centre à l'aile droite. Savard n'était plus autant un marqueur qu'un joueur complet dans les deux sens de la patinoire. Il n'était peut-être plus une super-vedette, mais il a grandement contribué aux succès du club au cours de ses trois années à Montréal.

Savard a marqué 28 buts à chacune de ses deux premières saisons à Montréal, puis 16 buts en 1992-1993. L'équipe, portée par son gardien Patrick Roy, a foncé en séries éliminatoires pour enregistrer dix victoires en prolongation et battre les Kings de Los Angeles en cinq matchs et ainsi remporter la coupe Stanley. Le 9 juin 1993, Savard n'était pas en uniforme pour le match ultime. Une fracture à un pied subie dans le premier match de la série l'avait écarté de la patinoire, mais l'entraîneur Jacques Demers l'a invité à poursuivre la série à ses côtés derrière le banc, pour soutenir ses coéquipiers. Les deux hommes ont sauté sur la glace après une victoire de 4 à 1 en célébration de la conquête de la coupe Stanley, remise 100 ans après que le AAA de Montréal en soit devenu le premier récipiendaire.

Savard est allé terminer sa carrière à Tampa Bay, puis à Chicago et au moment d'annoncer sa retraite en 1997, il était l'« Unique Denis », ayant réalisé son rêve dans sa ville natale.

CANADIENS EN CHIFFRES
DENIS SAVARD

n. Pointe Gatineau, Québec, 4 février 1961
5'10"   175 lbs   centre   lance de la droite

| | SAISON RÉGULIÈRE | | | | | SÉRIES ÉLIMINATOIRES | | | | |
	PJ	B	A	Pts	Pun	PJ	B	A	Pts	Pun
1990-1991	70	28	31	59	52	13	2	11	13	35
1991-1992	77	28	42	70	73	11	3	9	12	8
1992-1993	63	16	34	50	90	14	0	5	5	4
TOTAUX	210	72	107	179	215	38	5	25	30	47

LA TRADITION DE LA COUPE

Dans le contexte euphorique d'une autre conquête de la coupe Stanley en 1993, le capitaine des Canadiens Guy Carbonneau a fait preuve d'une grande classe. Après avoir reçu le trophée des mains du nouveau commissaire de la LNH Gary Bettman, Carbonneau, flanqué de son entraîneur-chef Jacques Demers, a attendu que Denis Savard s'amène à ses côtés avant de toucher la coupe. Après l'avoir soulevé une première fois, Carbonneau a remis le trophée à Savard qui, incrédule, l'a embrassé et l'a soulevé plusieurs fois au-dessus de sa tête. Dans les estrades du Forum, les légendes Maurice Richard et Jean Béliveau surveillaient une scène bien familière pour eux. Quelques moments plus tard, plusieurs joueurs ont soulevé Savard sur leurs épaules. Le pied fracturé du vétéran n'allait pas réduire sa joie de voir son rêve finalement réalisé.

Rod Langway

Langway était l'un des beaux espoirs de l'organisation montréalaise avant de percer l'alignement en 1978. Il a gagné la coupe à sa première de quatre saisons avec le Tricolore.

Repêché au 36e rang par Montréal en 1977, Rod Langway, a disputé une demi-saison avec l'équipe, à peine deux ans plus tard, ce qui fut suffisant pour voir son nom inscrit sur la coupe Stanley. Même s'il allait jouer pendant 15 ans, il ne remettra plus la main sur le prix convoité.

Langway a été l'un des trois joueurs que les Canadiens récupérèrent de l'AMH en 1977-1978 Mark Napier et Langway des Bulls de Birmingham, de même que Cam Connor des Aeros de Houston.

Né à Taïwan où son père servait dans l'armée américaine, Langway a grandi à Randolph, en banlieue de Boston. Il est devenu un grand défenseur à caractère défensif et a même été honoré deux fois de suite en remportant le trophée Norris avec Washington. Après Bobby Orr, les défenseurs offensifs étaient considérés comme les plus excitants et les meilleurs à leur position, le choix de Langway avait de quoi surprendre. Après tout, Paul Coffey connaissait alors les meilleurs moments de sa carrière.

Langway était un joueur au physique imposant qui apportait une présence soutenue dans son territoire. Il n'a jamais été un très bon patineur, mais il commettait rarement des erreurs, que ce soit avec ou sans la rondelle. Ses qualités restreintes de patineur ne l'empêchaient pas d'assurer une bonne couverture de l'adversaire et au cours de ses quatre saisons à Montréal, le Tricolore a alloué le plus faible total de buts de la LNH à trois occasions. Il ne possédait pas un puissant tir, il n'était pas un grand passeur, mais il pouvait empêcher la rondelle de pénétrer dans son filet et c'est tout ce qui comptait aux yeux des entraîneurs des Canadiens.

Langway était en mesure d'utiliser un style physique et intimidant, tout en se tenant loin du banc des pénalités. Même si son style aurait aussi pu attirer les blessures, il a su éviter la liste des blessés au cours de ses années passées à Montréal.

Après sa saison recrue, qu'il a divisée entre les Canadiens et les Voyageurs de la Nouvelle-Écosse de la Ligue américaine, Langway est arrivé au camp d'entraînement de 1979 dans une forme éblouissante, ce qui a impressionné les entraîneurs. Il a fait sa place avec l'équipe, tout en sachant que le travail était nécessaire et le relâchement, lui, impossible. Il a demandé éventuellement d'être échangé à une équipe américaine en raison des impôts élevés au Canada. Langway allait ensuite jouer pendant une décennie avec Washington.

CANADIENS EN CHIFFRES
ROD LANGWAY

n. . Maag, Formose (Taïwan), 3 mai 1957
6'3"   218 lbs   défenseur   lance de la gauche

	SAISON RÉGULIÈRE					SÉRIES ÉLIMINATOIRES				
	PJ	B	A	Pts	Pun	PJ	B	A	Pts	Pun
1978-1979 🏆	45	3	4	7	30	8	0	0	0	16
1979-1980	77	7	29	36	81	10	3	3	6	2
1980-1981	80	11	34	45	120	3	0	0	0	6
1981-1982	66	5	34	39	116	5	0	3	3	18
TOTAUX	268	26	101	127	347	26	3	6	9	42

FIER D'ÊTRE AMÉRICAIN

En plus d'avoir connu une belle carrière dans la LNH avec Montréal et Washington, Langway a souvent représenté les États-Unis lors de compétitions internationales. Il a pris part à trois éditions de Coupe Canada (1981, 1984, 1987), mais la formation américaine traversait alors des années difficiles et ne connaissant pas de grand succès. La seule participation de Langway au Championnat du monde est survenue en 1982, en Finlande, mais son équipe a pris le huitième et dernier rang, étant reléguée au groupe B pour le tournoi de 1983. Toutefois, avec de jeunes joueurs talentueux comme Phil Housley, Neal Broten et Gordie Roberts, les Américains allaient rapidement retrouver leur place au sein de l'élite mondiale.

Dick Duff

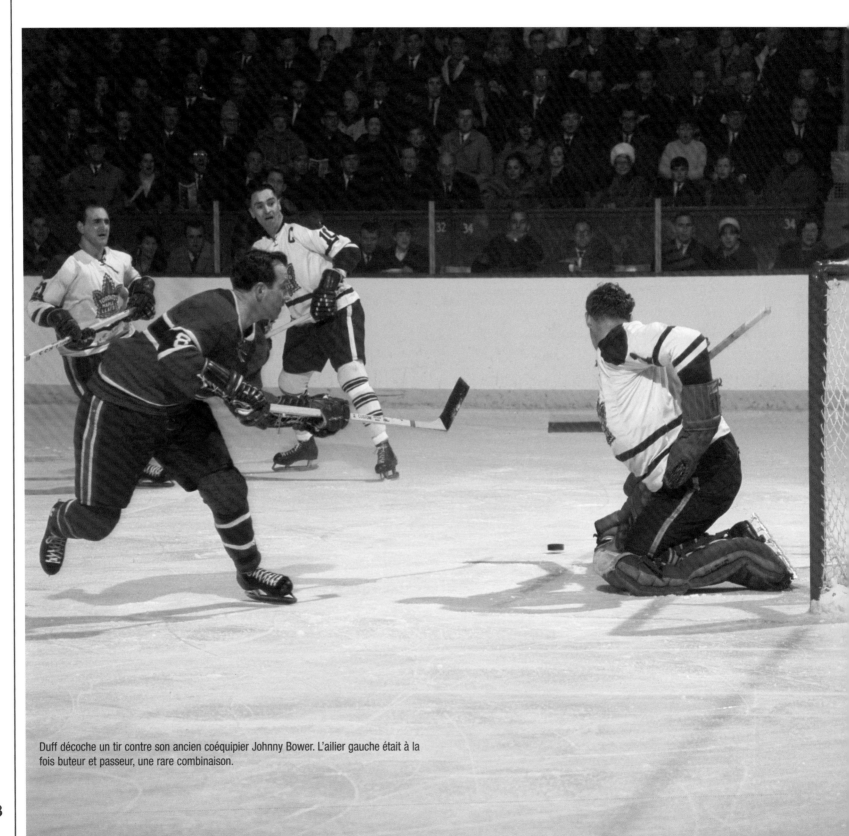

Duff décoche un tir contre son ancien coéquipier Johnny Bower. L'ailier gauche était à la fois buteur et passeur, une rare combinaison.

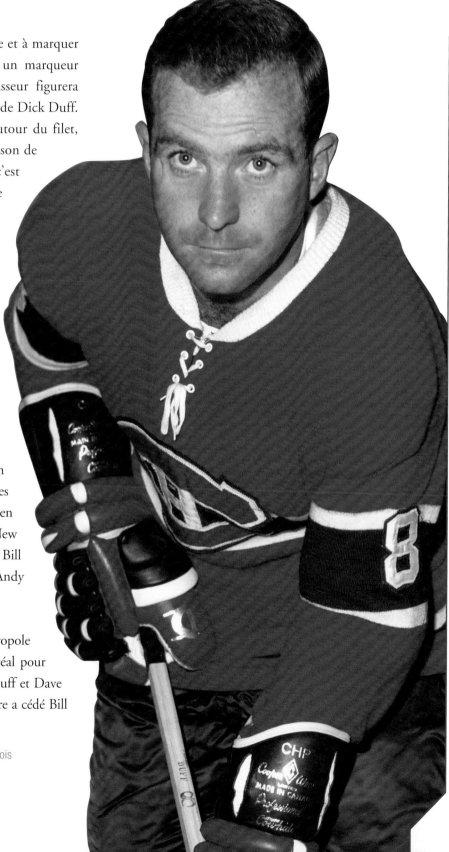

Rares sont les joueurs qui arrivent à faire une belle passe et à marquer un beau but avec autant d'habileté. Habituellement, un marqueur de 50 buts amassera moins de passes et un bon passeur figurera plus loin dans la liste des buteurs. Cela n'était pas le cas de Dick Duff. Jean Béliveau a déjà dit que Duff était imprévisible autour du filet, tandis qu'Yvan Cournoyer aimait jouer avec Duff en raison de ses habiletés de fabricant de jeu. Ce qu'il y a de certain c'est que les Canadiens de Montréal et les Maple Leafs de Toronto ont chacun remporté quatre coupes Stanley dans les années 1960. Dick Duff a en remporté six durant cette période.

Produit du hockey torontois, Duff a entrepris sa carrière chez les Leafs, remportant la coupe Stanley deux fois dans la Ville Reine. Il a marqué le but gagnant en finale, le 22 avril 1962, pour offrir à Toronto un premier titre en 11 saisons, puis il a contribué à une deuxième conquête au printemps suivant.

L'entraîneur Punch Imlach croyait toutefois que ses troupes perdaient de leur mordant au cours de la saison 1963-1964. Même s'il avait remporté les deux dernières finales de la coupe Stanley, il a décidé de faire le ménage en concluant une méga-transaction avec les Rangers de New York. Duff, Bob Nevin, Arnie Brown, Rod Seiling et Bill Collins ont pris la direction de Broadway en retour d'Andy Bathgate et de Don McKenney.

Duff n'était pas particulièrement heureux dans la métropole américaine si bien que les Rangers l'ont envoyé à Montréal pour une bouchée de pain au cours de la saison 1964-1965. Duff et Dave McComb se sont amenés au Forum, tandis que le Tricolore a cédé Bill

Duff a gagné la Coupe Stanley deux fois chez les Leafs et quatre autres fois plus tard avec les Canadiens.

Dick Duff
Ailier gauche 1964-1965 à 1969-1970

Hicke en plus de prêter Jean-Guy Morrissette. De retour au Canada, Duff a eu du succès avec les Canadiens et quelques mois plus tard, il avait la coupe Stanley entre les mains, aux côtés des Béliveau, Cournoyer, Henri Richard et Gump Worsley. Le Tricolore avait éliminé les Leafs

JAMAIS TROP TARD...

Quand Dick Duff a fait son entrée au Temple de la renommée en 2006, plusieurs critiques trop jeunes pour l'avoir vu jouer ont remis cette sélection en question. Duff avait quitté la LNH au début de la saison 1971-1972 et sa candidature n'avait jamais été considérée dans les 35 années précédentes, alors pourquoi en 2006? Harold Ballard l'avait mis en nomination en 1987, et il a été ignoré par le comité de sélection. Le temps aura fait son travail. Duff était considéré par plusieurs entraîneurs et directeurs généraux de l'époque comme le meilleur petit joueur de la ligue, un Yvan Cournoyer de la génération précédente. Il jouait aussi sur l'aile gauche, à une position dominée par les Bobby Hull et Frank Mahovlich, pourquoi alors continuer d'ignorer le troisième meilleur ailier gauche de son temps? Duff était un des rares joueurs à exceller en saison régulière et qui arrivait quand même à élever son jeu d'un cran quand la coupe Stanley était en jeu. Il est devenu seulement le sixième joueur intronisé au Temple de la renommée à avoir porté l'uniforme des Canadiens et des Leafs. Il n'est jamais trop tard pour bien faire.

Duff a pris part à cinq finales de la coupe Stanley en cinq saisons à Montréal, remportant le trophée quatre fois.

CANADIENS EN CHIFFRES
DICK DUFF

n. Kirkland Lake, Ontario, 18 février 1936
5'9" | 166 lbs | ailier gauche | lance de la gauche

	SAISON RÉGULIÈRE					SÉRIES ÉLIMINATOIRES				
	PJ	B	A	Pts	Pun	PJ	B	A	Pts	Pun
1964-1965	40	9	7	16	16	13	3	6	9	17
1965-1966	63	21	24	45	78	10	2	5	7	2
1966-1967	51	12	11	23	23	10	2	3	5	4
1967-1968	66	25	21	46	21	13	3	4	7	4
1968-1969	68	19	21	40	24	14	6	8	14	11
1969-1970	17	1	1	2	4	—	—	—	—	—
TOTAUX	305	87	85	172	166	60	16	26	42	38

en demi-finale avant de vaincre Chicago en sept matchs. Duff a inscrit un but et récolté deux passes dans l'ultime rencontre.

Au cours des quatre saisons qui ont suivi, Duff a inscrit en moyenne près de 20 buts et presque autant de mentions d'aide. Bien qu'il ait perdu un peu de vitesse au fil des ans, son expérience et son esprit combatif comblaient bien ce manque. Il a connu ses meilleures séries éliminatoires en 1969 quand il a été deuxième marqueur de l'équipe derrière son capitaine Béliveau.

La saison suivante a été difficile pour Duff. Il a connu des difficultés personnelles à l'extérieur de la patinoire qui l'ont grandement affecté. Il a raté deux entraînements et il a été envoyé à Los Angeles en retour de Dennis Hextall, qui a immédiatement été cédé au club-école et qui n'a jamais disputé un match avec les Canadiens.

Duff est arrivé et est reparti de Montréal dans des circonstances nébuleuses, mais son séjour avec les Canadiens a été marqué par la coupe Stanley. Son cœur au ventre et son talent semblaient sans limites. Il n'a jamais remporté de prix individuel, ni même retenu au sein d'une équipe d'étoiles, mais tous les entraîneurs du circuit désiraient son engagement au jeu. Gagner était sa plus grande force.

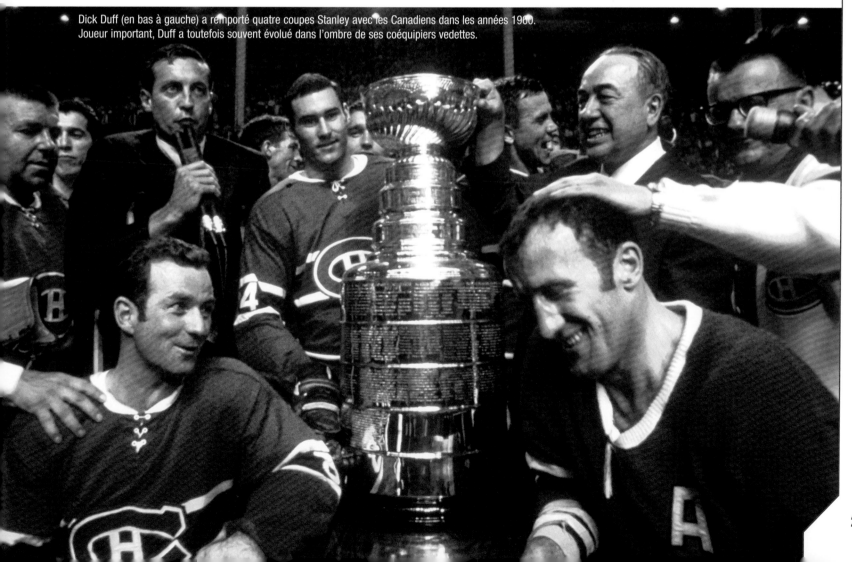

Dick Duff (en bas à gauche) a remporté quatre coupes Stanley avec les Canadiens dans les années 1960. Joueur important, Duff a toutefois souvent évolué dans l'ombre de ses coéquipiers vedettes.

Patrick Roy

Gardien 1984-1985 à 1995-1996

Patrick Roy a entrepris sa carrière en 1985 et il s'est rapidement établi comme gardien numéro un du club.

Patrick Roy frustre Joel Otto des Flames au Saddledome de Calgary.

Pour la deuxième fois en sept ans, Roy a transporté son équipe à la victoire ultime en 1993 et a reçu le trophée Conn-Smythe en récompense.

Enfant, Patrick Roy s'installait devant « La Soirée du hockey » avec des oreillers comme jambières prétendant être le gardien des Canadiens de Montréal. Son véritable héros était toutefois Daniel Bouchard, gardien de but des Flames d'Atlanta, qu'il a rencontré une seule fois. Bouchard lui avait alors remis un bâton de gardien, avec lequel Roy s'endormait le soir.

La détermination inébranlable de Roy à évoluer dans la LNH a atteint son comble quand il a préféré prendre part au camp d'entraînement des Bisons de Granby plutôt que d'entreprendre sa cinquième année du secondaire. Roy a été retenu au sein de l'équipe de la LHJMQ, mais il évoluait au sein de la pire équipe du circuit. Il a affiché des statistiques peu reluisantes avec une affreuse moyenne de buts alloués (6,26 à sa saison recrue et 4,44 lors de son année d'éligibilité au repêchage) en plus

de faire face à près de 50 tirs par rencontre, mais cela était une préparation parfaite pour la future super-étoile.

Malgré tout, les Canadiens l'ont réclamé au 51e rang au repêchage en 1984. L'organisation lui a demandé de retourner chez les Bisons en 1984-1985, ce qu'il a fait sans rechigner. Roy a joué toute la saison à Granby à deux exceptions près.

Le 23 février 1985, il a été rappelé dans la LNH. L'équipe lui a demandé de s'habiller comme remplaçant un soir pour qu'il puisse voir le jeu de la LNH de près et goûter à la vie dans le grand circuit. La chance a bien fait les

Roy s'est rapidement forgé une réputation. Grâce à son style papillon, il arrivait rapidement à couvrir tous les angles de son but avec son corps.

Patrick Roy

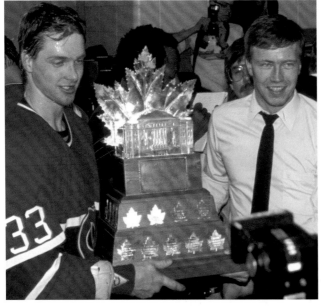

Roy est le seul joueur à avoir remporté le Conn-Smythe trois fois, dont deux fois à Montréal (1986 et 1993).

choses puisque le partant, Doug Soetaert, n'a pas connu un bon match. Après deux périodes contre les Jets de Winnipeg et la marque à égalité 4 à 4 après avoir été faible sur quelques tirs, l'entraîneur Jacques Lemaire a accordé une période de jeu au jeune gardien de 19 ans. Roy a repoussé tous les tirs dirigés contre lui tandis que son équipe a répondu en marquant deux fois. C'est ainsi que Roy signait la première de ses nombreuses victoires dans la LNH.

Plus tard au cours de cette saison, il a joué un match avec le club-école de Sherbrooke dans la Ligue américaine et encore une fois la chance était de son côté. Le gardien partant avait des difficultés d'équipement à mi-chemin en première période. C'est alors que Roy a fait son entrée, sous les regards impressionnés de l'entraîneur Pierre Creamer qui a lancé Roy dans la mêlée pour le premier match des séries, puis tous les matchs qui ont suivi. Patrick a remporté 10 de ses 13 départs pour mener Sherbrooke à la coupe Calder.

Roy a remporté 10 victoires consécutives en prolongation dans les séries de 1993, un record difficile à abaisser.

Seulement une fois en 10 ans de carrière à Montréal, Roy a raté les séries éliminatoires en 1994-1995, la saison écourtée par le lock-out.

Patrick Roy

Gardien 1984-1985 à 1995-1996

Roy n'a plus jamais revu les ligues mineures, les yeux fixés vers l'avant. À son premier camp d'entraînement avec les Canadiens, Roy se trouvait derrière Soetaert et Steve Penney, mais ce dernier s'est blessé et Roy a obtenu le départ pour le match d'ouverture. Il a signé la victoire et Penney a offert un rendement plutôt ordinaire à son retour, si bien que l'entraîneur Jean Perron a misé sur Roy.

En 1985-1986, il a joué 47 matchs et comme recrue, il a surtout connu des problèmes de régularité et de positionnement. Si la régularité pouvait être contrôlée au fil du temps, le positionnement a fait l'objet d'un intense travail avec le spécialiste des gardiens, François Allaire. Les deux hommes ont créé un nouveau style papillon, mettant l'accent sur la couverture instinctive du bas du filet.

Les Canadiens, menés par les prestations de Roy, ont facilement franchi les deux premières rondes des séries pour se retrouver en finale de conférence face aux Rangers. Après avoir remporté les deux premiers matchs, le Tricolore était sous pression et Patrick Roy a repoussé 44 tirs dans le troisième match pour permettre aux siens de l'emporter 4 à 3 en prolongation. Roy a plus tard déclaré qu'il s'agissait de son meilleur match à vie. Les Rangers ont remporté le quatrième match, mais Montréal a mis fin à la série deux soirs plus tard pour accéder à la ronde ultime face aux Flames de Calgary. En finale, Roy n'a accordé que 13 buts en cinq matchs, si bien qu'on lui a remis le trophée Conn-Smythe.

CANADIENS EN CHIFFRES
PATRICK ROY (« Casseau »)

n. Québec, Québec, 5 octobre 1965
6'   192 lbs   gardien   attrape de la gauche

	SAISON RÉGULIÈRE						SÉRIES ÉLIMINATOIRES					
	PJ	V-D-N	Mins	BC	BL	MOY	PJ	V-D-N	Mins	BC	BL	MOY
1984-1985	1	1-0-0	20	0	0	0,00	—	—	—	—	—	—
1985-1986	47	23-18-3	2 651	148	1	3,35	20	15-5	1,218	39	1	1,92
1986-1987	46	22-16-6	2 686	131	1	2,93	6	4-2	330	22	0	4,00
1987-1988	45	23-12-9	2 586	125	3	2,90	8	3-4	430	24	0	3,35
1988-1989	48	33-5-6	2 744	113	4	2,47	19	13-6	1,206	42	2	2,09
1989-1990	54	31-16-5	3 173	134	3	2,53	11	5-6	641	26	1	2,43
1990-1991	48	25-15-6	2 835	128	1	2,71	13	7-5	785	40	0	3,06
1991-1992	67	36-22-8	3 935	155	5	2,36	11	4-7	686	30	1	2,62
1992-1993	62	31-25-5	3 595	192	2	3,20	20	16-4	1,293	46	0	2,13
1993-1994	68	35-17-11	3 867	161	7	2,50	6	3-3	375	16	0	2,56
1994-1995	43	17-20-6	2 566	127	1	2,97	—	—	—	—	—	—
1995-1996	22	12-9-1	1 260	62	1	2,95	—	—	—	—	—	—
TOTAUX	551	289-175-66	31 918	1 476	29	2,77	114	70-42	6,964	285	5	2,46

Il était clair que Roy était la pierre angulaire d'une nouvelle génération d'équipes championnes de la coupe Stanley à Montréal. Malheureusement, malgré ses prouesses, l'équipe autour de lui n'a jamais grandi et ne s'est jamais développée pour produire une autre dynastie.

Le rendement de Roy dans les séries éliminatoires de 1993 a possiblement éclipsé ce qu'il avait réussi sept ans plus tôt. Les Canadiens étaient encore bien loin sur la liste des favoris pour remporter la coupe, mais le gardien semblait à lui seul posséder la volonté pour remporter une autre coupe. Les signes de sa grandeur ont fait leur apparition en première ronde quand les Canadiens affrontaient les Nordiques de Québec. Émotive, difficile et dramatique, cette série a été remportée en six matchs par le Tricolore. Quatre de ces matchs ont été décidés par la marge d'un seul but et trois en pro-

longation. Les Canadiens ont remporté trois de ces quatre matchs et deux des victoires en prolongation alors que Roy a tenu sa promesse de ne pas accorder le but gagnant.

Dans la ronde suivante, Montréal a balayé les Sabres des Buffalo en quatre victoires de 4 à 3, portés par le brio de son gardien. Trois de ces matchs ont été remportés en prolongation et la capacité de Roy de n'accorder aucun but en quatrième période était devenue une certitude. Les Canadiens sont entrés confiants en demi-finale face aux Islanders. Deux des cinq matchs se sont terminés en prolongation par une victoire des Canadiens. Le Tricolore accédait à la finale pour la première fois depuis 1989 et

Roy était le meilleur gardien de la ligue pour se positionner. Il n'avait jamais à plonger dans son cercle; il était toujours bien placé, bloquant la rondelle avant qu'elle franchisse la ligne des buts.

STATISTIQUES RECORDS

Quand Patrick Roy a annoncé sa retraite en 2003, il possédait deux des records les plus prestigieux chez les gardiens. Il est devenu le premier à disputer 1 000 matchs (il s'est arrêté à 1029) en carrière, il a aussi signé 551 victoires en saison régulière, seul gardien à avoir franchi le cap des 500 victoires en carrière. Roy a aussi disputé 13 saisons de 30 victoires ou plus et un total de 60 235 minutes de jeu, deux autres records. Il a aussi pris part à 247 matchs de séries éliminatoires, des années lumières de son plus proche poursuivant à ce chapitre, Martin Brodeur (169). Roy compte aussi 151 victoires dont 23 par jeu blanc en 15 209 minutes disputées en séries éliminatoires. Il est aussi le seul joueur à avoir remporté le Conn-Smythe à trois occasions (1986, 1993 et 2001).

Patrick Roy
Gardien 1984-1985 à 1995-1996

Roy était le grand responsable des succès du Tricolore.

Leurs adversaires en finale, les Kings de Los Angeles étaient guidés par Wayne Gretzky qui avait été le héros de l'autre demi-finale contre Toronto. Gretzky emmenait les Kings en territoire inconnu, puisqu'il s'agissait d'une première présence en finale pour le club californien depuis son entrée dans le circuit en 1967. Le premier match a été remporté dignement par Gretzky et compagnie, 4 à 1 au Forum. C'est alors que Patrick Roy a refermé la porte. Les trois matchs suivants se sont terminés en prolongation et Roy est demeuré infaillible. Les Canadiens ont remporté

ces trois matchs pour prendre les devants 3 à 1, remportant finalement la coupe à domicile par un gain de 4 à 1 dans le cinquième match. Les Canadiens auront remporté 10 de leurs 16 matchs en prolongation grâce au brio de Roy, récipiendaire du trophée Conn-Smythe.

La fin du règne de Roy à Montréal est survenue abruptement et de façon inattendue. Le soir du 2 décembre 1995 dans un match à domicile contre Détroit, Roy a connu une sortie désastreuse. L'entraîneur Mario Tremblay a refusé de le remplacer jusqu'à ce que Roy ait alloué neuf buts. Quand il a finalement quitté la glace, Roy a avisé le président du club Ronald Corey, qui regardait le match de son siège habituel derrière le banc, qu'il ne porterait plus jamais l'uniforme des Canadiens. Quelques

Roy stoppe le vétéran Lanny McDonald de Calgary en finale de 1986 remportée par les Canadiens.

jours plus tard, Roy était échangé au Colorado et a rapidement mené l'Avalanche au titre de la coupe Stanley en 1996.

Ce match occupe une grande place dans le parcours de Roy à Montréal, même si ce nuage obscurcit une carrière remarquable avec les Canadiens. Presque à lui seul, Roy a remporté deux coupes Stanley pour une équipe qui n'avait pas de grandes aspirations au titre. Son style de jeu a révolutionné la position du gardien de but. Bien qu'il ait quitté dans ces conditions déplaisantes, ses 12 années à Montréal sont les témoins d'une carrière digne du Temple de la renommée qui a commencé de glorieuse façon et qui s'est poursuivie sous le signe du succès pendant plus de 500 matchs avec le Tricolore.

Patrick Roy s'est retiré avec 551 victoires et 1029 matchs, des sommets dans le circuit.

Montréal a battu Buffalo en deuxième ronde des séries de 1993. Chaque match a été remporté 4 à 3, dont trois en prolongation.

REMERCIEMENTS

L'auteur aimerait remercier les nombreuses personnes qui ont contribué à la production et à la création de cette édition anniversaire. Tout d'abord, je souhaite remercier les Canadiens de Montréal et son équipe du Centenaire pour sa contribution au projet, notamment Ray Lalonde, Jon Trzcienski, Manny Almela, Alexandre Harvey, Shauna Denis et Marie-Eve Sylvestre. Philippe Germain pour avoir succinctement traduit l'essence du texte anglais. Le Temple de la renommée du hockey pour leurs efforts, à commencer par le président Jeff Denomme, ainsi que Phil Pritchard, Ron Ellis, Peter Jagla, Craig Campbell, Izak Westgate, Miragh Addis, Darren Boyko et Steve Poirier. Fenn Publishing pour avoir saisi le concept et le script pour en faire un livre de substance, notamment Jordan Fenn pour son enthousiasme sans borne face à cette tâche importante et la conceptrice Laura Brunton dont les talents et la patience ont été cruciaux pour l'achèvement de ce livre. Szymon Szemberg pour ses conseils et son avis; Paul Patskou pour la relecture des textes; et à mon agent Dean Cooke pour son aide sur le plan commercial. Sans l'aide de tous, ce livre n'aurait jamais été publié.

MENTION DE SOURCE

10614